KB095468

NEW
서울대 선정
인문고전
60선

38
홍대용 의산문답

NEW 서울대 선정 인문 고전 ③

만화 홍대용 **의산문답**

개정 1판 1쇄 발행 | 2019. 8. 21
개정 1판 3쇄 발행 | 2025. 1. 11

신현정 글 | 정윤채 그림 | 손영운 기획

발행처 김영사 | 발행인 박강휘
등록번호 제 406-2003-036호 | 등록일자 1979. 5. 17.
주소 경기도 파주시 문발로 197 (우10881)
전화 마케팅부 031-955-3100 | 편집부 031-955-3113~20 | 팩스 031-955-3111

ⓒ 2019 손영운
이 책의 저작권은 저자에게 있습니다. 저자와 출판사의 허락 없이 내용의 일부를 인용하거나
발췌하는 것을 금합니다.

값은 표지에 있습니다.
ISBN 978-89-349-9463-3
ISBN 978-89-349-9425-1(세트)

좋은 독자가 좋은 책을 만듭니다. 김영사는 독자 여러분의 의견에 항상 귀 기울이고 있습니다.
전자우편 book@gimmyoung.com | 홈페이지 www.gimmyoung.com

이 도서의 국립중앙도서관 출판예정도서목록(CIP)은 서지정보유통지원시스템 홈페이지(http://seoji.nl.go.kr)와
국가자료종합목록시스템(http://www.nl.go.kr/kolisnet)에서 이용하실 수 있습니다. (CIP제어번호 : CIP2019000359)

|어린이제품 안전특별법에 의한 표시사항| 제품명 도서 제조년월일 2025년 1월 11일
제조사명 김영사 주소 10881 경기도 파주시 문발로 197 전화번호 031-955-3100 제조국명 대한민국
사용 연령 10세 이상 ⚠주의 책 모서리에 찍히거나 책장에 베이지 않게 조심하세요.

미래의 글로벌 리더들이 꼭 읽어야 할 인문고전을 만화로 만나다

NEW 서울대 선정 인문고전 60선

38

홍대용 의산문답

신현정 글 · 정윤채 그림

주니어김영사

〈NEW 서울대 선정 인문고전60〉이 국민 만화책이 되기를 바라며

제가 대여섯 살 때 동네 골목 어귀에 어린이들에게 만화책을 빌려주는 좌판 만화 대여소가 있었습니다. 땅바닥에 두터운 검정 비닐을 깔고 그 위에 아이들이 좋아하는 만화책을 늘어놓았는데, 1원을 내면 낡은 만화책 한 권을 빌릴 수 있었지요. 저는 그곳에서 만화책을 보면서 한글을 깨쳤고 책과의 인연을 맺었습니다.

초등학교 때는 용돈을 아껴서 책을 사서 읽었고, 중학교 때는 학교 도서 반장을 맡아 도서관에서 매일 밤 10시까지 있으면서 참 많은 책을 읽었습니다. 그 무렵 헤밍웨이의 《노인과 바다》를 손에 땀을 쥐며 읽으면서 인생에 대해 고민했고, 헤르만 헤세의 《수레바퀴 아래서》를 읽으며 사춘기의 심란한 마음을 달랬습니다. 김래성의 《청춘 극장》을 밤새워 읽는 바람에 다음 날 치르는 중간고사를 망치기도 했습니다.

당시 저의 꿈은 아주 큰 도서관을 운영하는 사람이 되어 온종일 책을 보면서 책을 쓰는 작가가 되는 것이었습니다. 나이가 들고 어느 정도 바라는 꿈을 이루었습니다. 큰 도서관은 아니지만 적당한 크기의 서점을 운영하고, 글을 쓰는 작가가 되었거든요. 저는 여기에 새로운 꿈을 하나 더 보탰습니다. 그것은 즐거운 마음과 힘찬 꿈을 가지게 해 주고, 나아가 자기 성찰을 도와주는 좋은 만화책을 만드는 일이었습니다. 이렇게 해서 만든 책이 바로 〈서울대 선정 인문고전〉입니다. 서울대학교 교수님들이 신입생과 청소년들이 꼭 읽어야 할 책으로 추천한 도서들 중에서 따로 60권을 골라 만화로 만든 것입니다. 인류 지성사의 금자탑이라고 할 수 있는 고전을 보기 편하고 이해하기 쉽도록 만화책으로 만드는 일은 쉬운 일은 아니었습니다. 약 4년 동안에 수십 명의 학교 선생님들과 전공 학자들이 원서의 내용을 정확하게 전달할 수 있도록 밑글을 쓰고, 수십 명의 만화가들이 고민에 고민을 거듭하면서 만화를 그려 60권의 책을 만들었습니다.

〈서울대 선정 인문고전〉이 완간되었을 무렵에 우리나라에 인문학 읽기 열풍이 불기 시작했습니다. 〈서울대 선정 인문고전〉은 인문학 열풍을 널리 퍼뜨리는 데 한몫을 하면서 독자들의 뜨거운 사랑과 관심을 받았습니다. 덕분에 지금까지 수백만 권이 팔리는 베스트셀러가 되었습니다. 그 사랑에 조금이나마 보답을 하기 위해 《칸트의 실천이성 비판》, 《미셀 푸코의 지식의 고고학》, 《이이의 성학집요》 등 우리가 꼭 읽어야 할 동서양의 고전 10권을 추가하여 만화로 만들었습니다.

〈서울대 선정 인문고전〉은 어린이와 청소년이 부모님과 함께 봐도 좋을 만화책입니다. 국민 배우, 국민 가수가 있듯이 〈서울대 선정 인문고전〉이 '국민 만화책'이 되길 큰마음으로 바랍니다.

손영운

동양과 서양을 결합하고자 한 과학 사상가, 홍대용

금속활자와 고려청자, 불국사와 석굴암, 혼천의, 앙부일구, 자격루, 거북선 등 각종 문화재들이 보여주듯이 우리나라는 예로부터 뛰어난 과학기술을 보유하고 발전시켜 온 나라입니다. 하지만 자연과학의 이론적 측면에서는 불모지입니다. 원자론, 뉴턴의 운동 법칙, 미적분, 진화론 등 지금 학교에서 배우고 있는 수학, 과학 이론들은 모두 19세기 말 근대식 교육기관이 세워지면서 개화의 물결을 타고 서양에서 들어온 것이니까요.

우리나라뿐 아니라 중국, 일본도 마찬가지입니다. 도대체 이유가 뭘까요? 자연을 보는 관점이 서양과 달랐기 때문이에요. 동양은 서양과 달리 우주를 포함한 세상 만물의 구성과 움직임을 음양오행설이라는 하나의 원리로 설명합니다. 자연을 인간과 분리하여 객관적, 분석적으로 규칙을 발견하고 설명하려는 서양과 달리, 생동하는 자연의 변화들을 '그렇기 마련이다'라고 인식하니 여러 가지 복잡한 법칙이나 이론이 필요가 없었던 것이지요. 이것이 동양의 자연과학 이론이었던 겁니다.

17세기 초부터 중국에 서양 과학이 소개되었지만 정교한 수학적 계산과 기술에 관련된 것만 적극적으로 수용했을 뿐 우주론과 같이 과학 정신과 철학이 담긴 순수과학은 '이런 얘기도 있다'는 정도로만 취급되었어요.

그런데 동아시아 3국 중에 조선만은 달랐습니다. 서양에서조차 코페르니쿠스가 정식으로 제안한 지 300년 만인 19세기에 접어들어서 비로소 교황청이 사실로 인정했던 지전설을, 17세기부터 맞는 얘기라고 받아들인 겁니다. 그 인물이 바로 홍대용이었어요.

홍대용은 《의산문답》을 통해 과학사상가의 면모를 한껏 보여주고 있습니다. 이 책에는 지구설, 지전설, 무한우주설, 음양오행론과 풍수설에 대한 새로운 해석 등 서양 과학의 영향을 받아 정립한 자신의 자연과학 사상이 모두 담겨 있습니다. 그는 혼천의를 만든 과학 기술자인 동시에 전통적 자연관에서 벗어나 객관적이고 실증적인 자연관을 보여준 혁신적인 사상가였답니다. 이러한 새로운 세계관은 당시 조선 사대부들 사이에 만연해 있던 중국문화 중심주의를 흔들고, 사회 개혁을 이끌 수 있는 사상적 기반을 마련해 주었어요. 그래서 북학론부터 개화사상까지 근대화의 시작이 바로 홍대용의 사상에서 시작되었다고 보기도 합니다.

《의산문답》 속에서 때때로 허자가 되기도 하고, 실옹이 되기도 하면서 흥미진진하게 그의 사상을 따라가다 보면, 어느새 주체적 문화 상대주의─내 것이 소중하듯 남의 것도 소중하며, 다양하기에 가치가 있고, 누구나 세상의 중심이다─에 다다르게 됩니다. 이는 현재의 우리에게 진정한 세계화의 의미를 보여주는 듯합니다. 또한 자연을 객관적으로 바라보되 자연의 생명력과 인간이 자연의 일부임을 강조하는 모습은 과학 기술의 발전이 초래한 개인주의와 무분별한 개발을 돌아보게 하지요.

고전이란 세대를 거듭해 전해지는 인류의 정신문화 유산입니다. 오랫동안 읽혀지는 것은 시대가 바뀌어도 공감할 수 있는 가치를 담고 있기 때문이 아닐까요? 현재 우리가 당면한 문제를 인식하게 하는 거울이면서 시대를 뛰어넘어 해답을 제시해주는 놀라운 창조력을 지닌 멋진 고전, 《의산문답》을 소개하게 되어 기쁩니다. 여러분에게도 이 감동이 고스란히 전해지길 바랍니다.

신희정

중화주의에서 벗어나 주체적 사상을 세우다!

《의산문답》의 작가 담헌 홍대용은 조선 후기의 대표적 실학자 중 한 명입니다.

'실학實學'은 잘 아시다시피 조선 후기 성리학의 허상을 비판하며 현실에서 본질을 찾고 백성들의 현실적인 삶의 문제를 해결하고자 했던 학문입니다. 그러다 보니 자연스럽게 실학자들은 좀 더 실생활에 소용이 되는 학문을 탐구했고 그 결과 과학과 수학, 지리학 등 자연과학적인 지식을 연구했습니다. 그 대표적인 사람 중 한 명이 홍대용입니다.

홍대용은 유력한 가문에 태어났음에도 당시 지배층의 성리학에 빠지지 않고 연구하는 자세로 과학과 수학 등 실생활에 도움을 줄 수 있는 학문에 매달렸습니다. 또한 중국 중심의 화이사상華夷思想에서 벗어나 객관적이고 다원주의적인 가치관을 가지고 있었습니다. 지금은 '내가 세상의 중심'이라는 생각이 당연한 것이지만 당시에는 그야

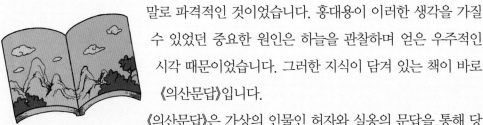

말로 파격적인 것이었습니다. 홍대용이 이러한 생각을 가질 수 있었던 중요한 원인은 하늘을 관찰하며 얻은 우주적인 시각 때문이었습니다. 그러한 지식이 담겨 있는 책이 바로 《의산문답》입니다.

《의산문답》은 가상의 인물인 허자와 실옹의 문답을 통해 당

시 주류의 사상이던 성리학의 오류를 지적하고 자연의 현상을 과학적으로 접근한 자신만의 해석을 담은 내용입니다. 특히 '무한우주론'은 당시로서는 서양에 서조차 생소한 내용이었지만 일관된 학문적 성찰을 통해 발견해낸 이론입니다.

이 책에서 다루고 있는 철학이나 자연과학의 이론들은 자칫 딱딱하고 지루하게 느껴질 수 있지만 막상 책 속으로 들어가 보면 여러 가지 구체적인 사례를 들어가며 설명하고 있어 읽다보면 어느새 홍대용의 생각에 집중할 수 있습니다. 18세기를 살았던 홍대용이 지구과학에 대해, 지금 살펴봐도 정확하게 이해하고 있었던 점도 참 대단하게 느껴질 겁니다.

여러분은 혹시 '팔랑귀'처럼 자기 주관 없이 남의 말에 혹하고 유행을 따라다니진 않나요? 홍대용 선생님은 모든 문제를 스스로 연구하고 상대적으로 바라봄으로써 뚜렷한 자기 주관을 가질 수 있었답니다. 물질이 풍요로워졌어도 자기 주관 없이 찰나적인 유행만을 뒤쫓는 빈곤한 정신의 시대를 살고 있는 우리들에게, 《의산문답》실용의 주체적 사상은 많은 것을 생각하게 합니다. 고전이 현대를 살아가는 우리들에게 왜 필독서로서 추천되는지 그 이유를 잘 보여주고 있습니다.

짧지만 방대한 사상이 집약되어 있는 원문의 내용을 최선을 다해 접근하기 쉽고 흥미롭게 전달하려고 노력했습니다. 부디 재미있게 읽고 여러분에게 많은 도움이 되길 바랍니다.

정윤채

| 차 례 |

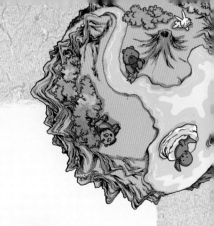

제1장

《의산문답》은 어떤 책일까?

왜 갑자기 소리를 지르는 게요? 천재 도령.

천재 도령? 나요?

아니지, 누구시냐고요~?

나는 홍대용이라는 사람일세.

이 놀라운 물건은 자네가 만들었나?

설마요….

나이도 어린 사람이 벌써 지구가 둥글다는 걸 깨치다니.

아저씨..

보기엔 멍청해 보이는데….

그거야 상식이죠. 지구가 하루에 한 바퀴씩 돌기 때문에 낮과 밤이 생기는 거잖아요. 유치원생도 알걸요?

자전설까지 터득하다니! 역시 이런 세상이 올 줄 알았어.

진리는 언젠가 인정받는 법이지.

11:20에 신고해야 하나?

극…크흑

그런데 어찌 날 모르는가? 분명 《의산문답》을 읽었을 텐데….

워!

《의산문답》이라고요?

의사?

산?

문답? 문제지인가?

그렇다네. 《의산문답》은 지원설, 자전설에서부터 무한우주론까지 담긴 조선 최초의 과학 철학책이 아닌가?

醫山問答

《의산문답》은 어떤 책일까?

글쎄요… 그런 책은 처음 들어보는 걸요?

지구가 둥글다는 건 코페르니쿠스랑 갈릴레이가 얘기한 거잖아요!

코페르니쿠스

갈릴레이

과학 혁명 시기에 나온 코페르니쿠스의 《천구의 회전에 관하여》, 갈릴레이의 《두 우주 체계에 대한 대화》야말로 고전 중에 고전이야. 갈릴레이가 교황청을 나오면서 "그래도 지구는 돈다"고 중얼거렸다는 감동적인 뒷이야기까지.

제가 과학에 얼마나 관심이 많은데요. 나는 똑똑한 남자~

천재가 맞을지도…

흡!

그래도 지구는 돈다….

너희들이 말려도 돌아….

어이쿠 이 녀석, 제가 아직 교육을 못 시켜서 이런 무례를… 죄송합니다.

우선 우리나라의 위대한 과학자 홍대용 선생님께

우읍 우읍

정식으로 인사부터 해야지.

저는 요 녀석의 사촌누나랍니다. 호호호~

위대?

하루 다섯끼

내가 위가 좀 크긴 하지….

그런 썰렁한 개그는 유행이 지났거든요.

14 의산문답

흠흠, 어쨌든. 우리 후손들은 과학적이고 객관적인 자연의 현상과 원리를 상식으로 생각하고 있다니 기쁜 일이기는 하나

조선사면 통했는데...

서양 과학책으로만 알고 있다니 슬프구나. 우리 민족도 대대로 자연과학에 대한 관심이 높고 그 이해가 상당히 깊었거든.

그러게 말입니다. 우리나라 자연과학서의 고전, 《의산문답》을 모르다니!

하하, 모르면 이제부터 알면 되는 거지!

껄껄, 천재 도령이니 무슨 걱정이겠소?

네! 열심히 배우겠습니다!!

《의산문답》은 약 250년 전, 18세기 조선의 실학자이자 과학자인 홍대용이 쓴 책이야.

으흠.

우와~ 갑자기 짱 멋져 보여요!

우주의 모습과 달의 운동, 날씨와 계절의 변화, 바다와 지각 변동에 이르기까지 다양한 자연 현상을 설명하고 있는 과학책이지.

과학책! 으…
지루한 거 아냐?

아까는 고전이
어쩌고 하며 엄청
재밌는 것처럼
얘기하더니?

사실은 만화책이었거든.
히히.

지루할 것이라는 걱정은
뚝!

《의산문답》에서 의산은 중국과 우리나라 국경 근처에 있는 의무려산인데 '의산에서의 질문과 대답'이라는 제목처럼 허자와 실옹이라는 가상의 인물이 등장해서 묻고 대답하는 소설 형식으로 구성되어 있어.

헛된 지식을 뽐내다가 실옹에게 된통 혼나는 허자를 보며 통쾌해 하고,

과학적이고 논리적인 설명으로 세상의 이치를 설명하는 실옹에게 감탄하며 고개를 끄덕이다 보면

어느새 이야기가 끝나 있지. 《의산문답》은 50페이지도 안 될 만큼 짧은 책이거든.

나보다 훨씬
얇네….

그런데 독특한 소설적
형식보다 더 놀라운 건
내용이란다.

쑥스럽구면…

우선 전통적인 동서양의 자연관을 비교해 보자.

서양에서는 자연을 기계적이고 분석적으로 바라보았어.

그래서 고대 그리스의 자연철학자들은 객관적인 관찰을 통해 현상을 설명하고 원리를 밝히려고 했지.

대표적인 자연철학자인 아리스토텔레스를 예로 들어볼까?

아리스토텔레스는 자연이 서로 독립적인 물질인 원소들로 이뤄졌다고 보았어. 그리고 세상을 천상계와 지상계로 나누었단다.

천 상 계

지 상 계

그는 지상계는 물, 불, 흙, 공기로 이뤄져 있으며 각 원소는 고유한 성질을 가지고 있어서 무거운 흙은 우주의 중심에 있고,

지상계

공기

물   흙   불

물, 공기, 불 또한 무게 순서에 따라 자기의 위치를 찾아가려는 성질이 있기 때문에 끊임없이 변하는 세계에 질서를 부여한다고 생각했지.

공기

아리스토텔레스는 지상계와는 다르게 천상계는 에테르라는 원소로 되어 있으며,

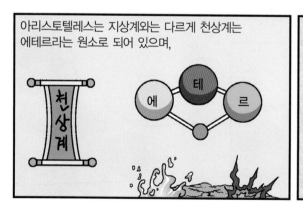

천상계

에 테 르

가장 완전한 운동인 등속 원운동만이 영원히 계속되는 완벽한 세계라고 주장했지.

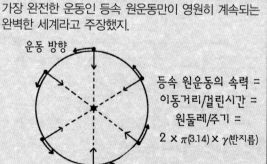

운동 방향

등속 원운동의 속력 = 이동거리/걸린시간 = 원둘레/주기 = 2 × π(3.14) × γ(반지름)

의산문답

이와 반대로 동양에서는 자연을 통합적이고 유기적으로 바라보았어.

동양에서도 옛날부터 자연 현상의 변화와 그 근원을 탐구했는데

동양의 철학자들은 음양(밝고 어두움)과 오행(물, 불, 나무, 금속, 흙)을 세상을 이루는 기본 구성요소로 꼽았지.

하지만 단순히 대립적인 개념이 아니라 음이 극에 달하면 양이 되고 그 반대의 일도 일어나며 오행도 서로서로 변할 수 있는 순환적이고 역동적인 관계로 보았어.

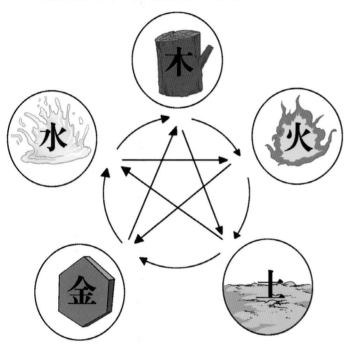

주희는 '음양은 기(氣)로서, 오행이라는 질(質)을 낳는다.'고 했지.

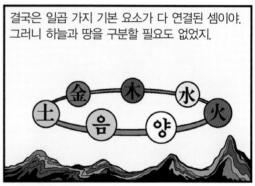

결국은 일곱 가지 기본 요소가 다 연결된 셈이야. 그러니 하늘과 땅을 구분할 필요도 없었지.

어차피 하나에서 비롯된 것이며 세상의 이치에 따라 움직이고 변하는 것이니까.

그래서 동양의 자연관은 통합적이라고 하는 거야.

오호~ 그렇구나.

통 합 적

성리학은 음양오행으로 자연 현상을 설명하면서 여기에 도덕성을 더해 더욱 추상적인 세계관을 만들었어.

도덕성?

추상적? 뭔 소리여?

양(陽)은 선하고, 음(陰)은 나쁘다는 가치를 부여해 자연이 도덕적 의지와 의도를 갖는 것으로 해석하는 거야.

양

음

사실 중국과 우리나라에서는 고인돌에도 별자리가 새겨져 있을 정도로 일찍부터 천문학이 발달했어.

정교한 관측을 바탕으로 일찍부터 달의 모양을 기준으로 한 음력과 태양을 기준으로 한 24절기를 정했지.

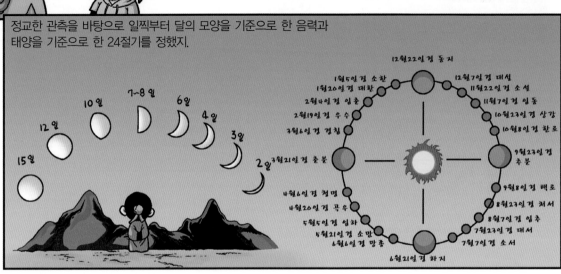

15일

12일

10일

7~8일

6일

4일

3일

2일

12월22일경 동지
1월5일경 소한
1월20일경 대한
2월4일경 입춘
2월19일경 우수
3월6일경 경칩
3월21일경 춘분
4월6일경 청명
4월20일경 곡우
5월5일경 입하
5월21일경 소만
6월6일경 망종
6월21일경 하지
12월7일경 대설
11월22일경 소설
11월7일경 입동
10월23일경 상강
10월8일경 한로
9월23일경 추분
9월8일경 백로
8월23일경 처서
8월7일경 입추
7월23일경 대서
7월7일경 소서

천문학은 조선 시대에도 국가의 중요한 사업으로 취급받았어.

유학의 천명사상에 따르면 왕은 하늘의 명을 받은 사람이었고 하늘은 백성의 마음을 대변하는 존재였기 때문이야. 따라서 왕은 하늘의 뜻을 세심하게 읽으려고 노력하는 모습을 보여야 했지.

특히 태양, 달, 다섯 개의 행성(수, 금, 화, 목, 토)의 운동을 추적하고 궤도를 계산해서 정확한 역서를 만드는 것이 중요한 사업이었어.

달

수성

금성

화성

토성

목성

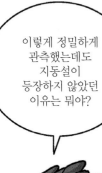

이렇게 정밀하게 관측했는데도 지동설이 등장하지 않았던 이유는 뭐야?

오우~ 좋은 질문!

관측 자체가 인간 사회의 필요성 때문이었고,

비 언제 와?

우주는 인간 사회와 밀접하게 연관되어 있으므로 딱히 우주의 구조를 고민할 필요성을 못 느꼈던 것 같아.

너도 고민 있어?

하늘은 둥글고 움직이며, 땅은 사각형이고 고정되어 있는 모두 변하는 존재일 뿐인 거지. 즉, 자연스럽게 받아들인 거야.

반면 서양에서 천상계는 신이 살고 있는 곳이기 때문에 지상계와는 다른, 영원하고 완벽한 존재여야 했어.

하늘을 관측하는 것은 신을 이해하고 신에게 더 가까워지는 수단이라고 생각했기 때문에

비 한번 줄까?

너무 복잡하고 실제 관측결과와 자꾸만 어긋나는 천동설이 흔들리는 건 어쩌면 당연한 결과였지.

왜 이렇게 안 맞아?

자꾸 움직일래?

그러던 중 코페르니쿠스가 본격적으로 논쟁에 불을 지핀 거야.

내가 그 이유를 설명해 주지!

흠… 그렇다면 서양 과학이 전해졌을 때도 받아들이기 쉽지 않았겠는데?

맞아.

하지만 다행히도 17~18세기 조선은 실학이 발전하는 시기였어.

임진왜란과 병자호란을 겪으면서 백성들의 삶은 궁핍해졌는데, 지나친 예와 도덕만 중시하며 과거 합격의 수단으로서 공부하고 경전 해석에 몰두해 있는 기존의 성리학은 현실 문제를 전혀 해결하지 못했지.

이러한 한계를 비판하고 현실 생활과 직결되는 농업, 상업, 기술에 관련된 학문을 한 학자들이 바로 실학자들이야.

이들은 중국에 들어온 서양 과학에도 상당히 개방적이었어.

Welcome.

천문과 수학, 의학과 지도, 자명종과 관측기기 등 신기한 서양 과학은 실학자들에게 많은 영향을 끼쳤지.

지구가 둥글다는 지구설(地球說)은 김만중이나 이익의 책에서도 등장해.

실학자 중에서도 특히 천문과학을 깊이 연구한 실학자가 김석문과 홍대용이야.

우리가 짱이지!

그 당시 책 중에 자크 로가 쓴 《오위역지》라는 책이 있었어.

주로 천문 관측 방법과 주요 천문 현상을 다뤘었는데,

특히 티코 브라헤의 우주론을 소개하고 있어.

이게 내 우주야!

간단히 얘기하자면 행성들은 태양 주위를 돌고, 태양은 지구를 중심으로 도는 모형인데,

이 책을 통해 서양의 우주론을 접한 두 사람은 이론을 그대로 받아들이는 것이 아니라 자기만의 독특한 우주론을 만들었지.

서양 우주론

특히 김석문은 《역학이십사도해》를 저술하여 우주론의 선구자로 불리는 학자야.

易學二十四圖解

지구 자전과 공전설을 확립하고
구중천(아홉 겹으로 된 하늘, 각 위치에서
행성들이 회전함)이라는 우주 모형을
만들었어.

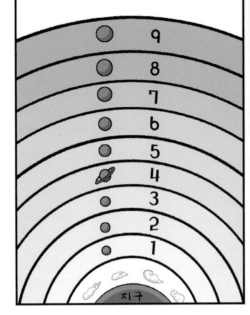

나중에 태어난 홍대용은 이러한 분위기 속에서 티코 브라헤와
김석문의 우주론을 자연스럽게 알게 되었지.

홍대용 또한 그동안 공부한 것과 자신이 직접 관측해 본 것을
종합하여 새로운 우주론을 주장했어.

지구의 자전을 인정했다는 점에서는 티코와 다르고,

공전을 부정했다는 점에서는 김석문과 다르지.

가장 독창적인 건 최초로 무한 우주론을 주장한 거야. 한 겹이든 여러 겹이든 천구라는 한정된
공간이었던 우주를 무한으로 확장시킨 거지.

19세기에 들어와서야 뉴턴이 무한한 우주를 얘기한 것에 비하면 홍대용의 통찰력은 놀라운 것이지.

17c 18c 19c 20c 21c

홍대용이 자연과학에 대한 깊은 이해와 과학자로서의 남다른 태도가 없었다면

대다수 학자들처럼 무조건 수용하거나 무시하고 별 관심을 보이지 않았을 것이고,

우린 관심없어.

이게 최고!

성리학

우리나라의 천문학 발전은 좀 더 뒤쳐졌겠지.

과학자로서의 태도?

지구본에 집착하고 있는 저 모습 보이지? 바로 저거야.

아무리 봐도 이상한 아저씨 같은데…

돌+아이

일생 동안 홍대용이 남긴 글들은 《담헌서》라는 전집으로 정리되어 있어.

《의산문답》은 이 중 하나인데 사실 《의산문답》이 언제 쓰여진 것인지는 정확하지 않아.

?

언제 쓰셨어요?

글쎄… 그게… 하도 오래된 일이라.

하지만 아마 1770년대, 홍대용이 40대 중반에 접어들었을 때라고 추정하고 있지.

아, 그때였던 거 같기도 하고

다른 저작들에 비해 형식도 특이하고, 자연에 대한 이해도 대폭 확장되어 있으며, 훨씬 완성된 형태의 사상적 논쟁이 담겨 있기 때문이야.

특이한 형식

이해도 확장

완성된 사상

많은 학자들이 《의산문답》을 일컬어 홍대용 학문사상을 집대성한 완결판이며

단순한 자연과학서가 아니라 자연과 인간 사회를 망라하는 종합적인 철학사상서라고 평가하고 있지.

우아! 빨리 읽어 보고 싶어. 무슨 이야기예요?

고맙네. 그럼 《의산문답》의 내용을 잠깐 소개해 볼까?

나는 책에서 장과 절을 구분하지 않았는데, 이해를 돕기 위해 내용에 따라 크게 다섯 부분으로 나누었어.

도입부는 등장인물인 허자와 실옹이 만나는 장면일세. 허자(虛子)라는 이름은 '비어 있다, 헛되다' 는 뜻으로 낡은 성리학적 세계관을 대표하지.

虛子 = 성리학

실옹(實翁)이라는 이름은 '참, 열매, 실제' 라는 뜻으로 새 지식을 가진 실학적인 인물이야.

實翁 = 실학

사실 이 두 사람은
모두 나의
모습이기도 하지.

난 대대로 벼슬을 한 양반 집안에서 태어나 성리학을
공부했기 때문에 초기엔 허자와 비슷한 사람이었어.

대왈

공자왈

하지만 실학을 공부하고 청나라에 다녀오면서 실옹 쪽에 가까운 사람이 되었지.

청 나라

허자는 실옹을 만나자마자 헛된 욕망을 낱낱이 들키고 말아. 이에
깨달음은 얻은 허자는 실옹에게 진정한 '도(道)' 에 대한 배움을 청하지.

내가 책을 문답식으로 구성한 것도,

Question?

Answer!

점차 깨우쳐가는 허자에 비유해서 과거의 내가
어떻게 생각을 바꾸게 되었는지를, 보여주는 게
좋을 것 같았기 때문이야.

다른 사람들도 그 과정을
쫓아오면서 자연스럽게 과학적인
세계관을 받아 들이길 바란 거지.

본론부터 실옹의
가르침이 시작되는데,
나는 여기서 크게
두 가지를 이야기했어.

잘듣어!

- 7 -

첫째, 인간 중심의 성리학적 관점을 비판하고

'하늘의 눈으로 보면 사람과 만물은 구분 없이 모두 귀하다'고 강조했지.

둘째, 천지의 모습은 물론 비와 계절 같은 자연 현상과 원리를 묘사하는 부분이네.
내가 가장 좋아하는 과학이라 정말 신나게 쓰는 바람에 길어졌어.

'지구(地球)는 자전하고, 우주는 무한하다'
와 같은 나의 견해를 표명하고 사이사이
전통적인 세계관을 비판하는 부분도 많지.

결론에는 이상의 논의를 바탕으로 성리학에서 말하는 화이(華夷;
중국이 세계 중심이며 나머지는 오랑캐라는 사고)의 구분을
비판하였다네. '세상은 변하기 마련이며, 자기가 사는 세계가
중심'이라는 얘기지.

우리가
중심.

근데 소설 형식으로 멋지게
시작했지만 끝은 별로라네.

계속 묻고 답하다가
끝나지.

이것이 공자가
성인인 까닭이다!
-〈끝〉-

으잉? 이게
끝이야?

후학인 박지원에게
좀 배워야겠어.

박지원?

그 친구 보니까 《양반전》, 《호질》 등 소설 쓰는 데 일가견이 있더라고.

양반전

호질

허자가 다시 조선에 갔다고 해야 하나,
실옹이 구름 타고 날아갔다고 해야 하나…

아… 2%
부족해.

영원히 둘이 행복하게
살았습니다?

저기… 얘기가
산으로 간 거
같은데요….

흠흠, 물론 현대 과학에
비춰보면 홍대용의 견해는
여전히 추상적인 세계관을
완전히 벗어나지 못했고,
지구의 공전을 부정하는 등
틀린 부분도 있어.
하지만….

우웅

파바박

이 책은 250년 전에
쓰여졌다는 걸 잊지
말아야겠지?

위로가
안 돼….

그럼 이제 《의산문답》의
저자 홍대용 선생님에 대해
알아볼까?

응? 내 소개를
한다고?

홍대용 선생님을
따라 가. 어서.

여사 속으로

천동설과 지동설

프톨레마이오스의 천동설

▲ 프톨레마이오스

매일 해가 동쪽에서 떠서 서쪽으로 지고, 달도 동쪽에서 떠서 서쪽으로 집니다. 해는 아침에 떠서 저녁에 지지만, 달은 매일 뜨는 시간이 달라져서 한낮에도, 한밤중에도 동쪽 하늘에 빼꼼이 모습을 드러낼 때가 있지요. 별들도 북극성을 중심으로 하루에 한 바퀴를 돌아요. 별들 중에는 다른 별들과 달리 방향과 속도가 제멋대로인 다섯 개의 별이 있었고요. 고대인들에게 이러한 하늘의 움직임은 신기한 일이었어요. 그래서 모두 신들이라고 여겼습니다. 태양의 신, 달의 여신이 있고, 전쟁의 신 화성, 땅의 신 토성 등이 부지런히 움직이는 거예요.

그러다 자연을 객관적으로 설명하는 자연철학자들이 등장했습니다. 그 중에는 서양 사상에 아주 오랫동안 커다란 영향을 미친 아리스토텔레스가 있어요. 아리스토텔레스는 지상계와 천상계를 구분했습니다. 지상계는 물, 불, 흙, 공기라는 네 개의 원소로 이루어져 있고, 변화무쌍하고 불완전한 존재예요. 반면 천상계는 에테르라는 물질로 이루어져 있고, 완벽한 원운동을 하며 영원불변하는 신성한 존재였지요. 프톨레마이오스는 이를 바탕으로 보다 체계적이고 수학적인 우주 모형을 만들었습니다. 지구가 우주의 중심에 있고, 태양과 달, 다섯 행성(수성, 금성, 화성, 목성, 토성)이 돌고 있고, 나머지 별들은 천구라는 유리구에 콕

▲ 천동설의 우주 모형.

콕 박혀 역시 지구 주위를 돌고 있는 모형이었어요. '하늘이 움직인다.' 는 뜻으로 '천동설' 이라고 부릅니다.

코페르니쿠스의 지동설

하지만 프톨레마이오스의 모형은 실제 관측되는 것과 조금 달랐어요. 특히 다섯 행성들은 움직이는 속도도 수시로 달라지고 심지어는 거꾸로 가다가 잠시 멈췄다가 원래 가던 방향으로 다시 움직이기도 했답니다. 이를 해결하기 위해 주전원을 도입했어요. 행성이 제자리에서 작은 원을 그리면서 공전한다는 것이지요. 그리고 금성과 수성은 태양으로부터 일정 각도 이상 멀어지지 않는 현상을 설명하기 위해서 금성과 수성의 주전원 중심은 태양과 함께 움직인다고 정했어요. 관측기술이 발전하면서 주전원은 80개까지 늘어났답니다. 너무 복잡해서 도대체 행성이 지금 어디 있는 건지 찾아볼 수가 없었죠.

코페르니쿠스는 태양을 중심으로 두면 주

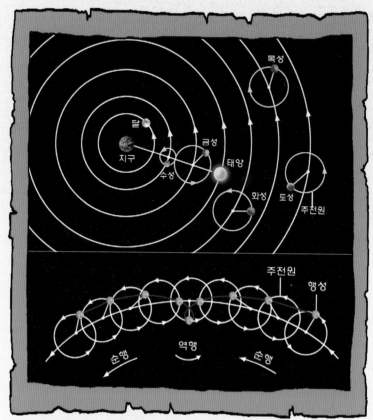

▲ 프톨레마이오스의 주전원

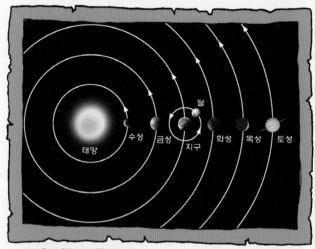

▲ 코페르니쿠스 지동설 모형

전원을 절반 이상 없애고 도 행성의 움직임을 충분 히 설명할 수 있다는 걸 알 았어요. 지구를 세 번째 행 성으로 두고 달만 지구 주 위를 돌고 있는 모형을 만 들었지요. 이 이론을 '지 구가 움직인다.'는 뜻으로 '지동설'이라고 합니다. 하지만 당시는 가톨릭교회 의 힘이 막강하던 때였어 요. 성경에 있는 일들을 훌 륭히 설명해내는 천동설 외에 다른 주장을 하면 화형을 당했 지요. 제대로 된 관측 증거들도 부 족하고, 심한 박해에 대한 두려움 때문에 코페르니쿠스는 끝까지 고 민하다가 지동설을 담은 《천구의 회전에 관하여》란 책을 죽기 직전 에 출판했답니다.

지동설을 증명한 갈릴레이

교회는 이 책을 당장 금서로 지정했지만 갈릴레이는 이 책을 읽어볼 수 있었어요. 그는 최초로 천체망원경이란 개념을 고안해냈고, 망원경 관측을 통해 지동설을 뒷받침할 수 있는 결정적인 증거들을 제시했습니다. 완벽한 존재인 줄만 알았던 태양에도 흑점이 있고 흑점의 개수와 위치가 계속 변하며,

▲ 종교 재판을 받는 갈릴레이

달은 지구와 같이 울퉁불퉁한 걸 발견했지요. 금성의 위상 변화와 토성의 고리도 보았어요. 목성의 위성들도 발견해서 지구가 모든 천체의 중심은 아닐 수 있다고 주장했어요. 하지만 너무나 오랫동안 뿌리 깊게 박혀왔던 지구 중심주의는 깨기 어려웠어요. 결국 교회 재판소에서 지동설을 부정하고 나와 "그래도 지구는 돈다."고 중얼거렸다지요? 진짜인지는 모르지만요. 그러나 이들이 시작한 과학 혁명은 티코 브라헤의 정밀한 관측과 케플러의 뛰어난 수학 능력으로 이어지고 바통을 받은 뉴턴이 만유인력을 발견하면서 결국 지동설은 만고불변의 사실로 인정받았답니다. 1835년에 해금되었다니 정말 오랜 시간이 걸렸죠?

제2장

홍대용은 어떤 사람일까?

우와~
집이 아주
좋은데요!

나는 1731년(영조7년)
충청도 천안에서
태어났어.

혹시 재벌?

용돈
좀…

하하, 그건
아니야.

할아버지는 대사간을,
아버지는 나주목사를
역임한 부유하고 유력한
가문이라서 그런 거야.

조선 시대 **붕당정치**

(17~18세기)

북인

동인

남인

사림파

서인 ─── 노론

소론

음, 우리 집안은
주류 세력인
노론 가문이었지.

조선 시대의 양반들은
남인, 서인, 노론, 소론
등의 파에 속하던데,
선생님 집안은
어떤 파에 속했어요?

하지만 그건 내게 중요하지 않았어. 나는 정권을 잡기 위한 다툼에 골몰해 있는 세속적인 사대부의 한사람이 되고 싶진 않았거든.

김원행 선생을 만난 것은 내 인생에서 가장 중요한 사건이었어.

나는 12살에 석실서원에 들어가 고모부인 김원행 선생 밑에서 공부했어.

김원행 선생으로부터 학문을 하는 참된 자세를 배웠고, 세상을 바라보는 데 필요한 사상의 토대를 세웠거든.

묻고 배우는 것은 실심(實心)에 있고 행하는 바는 실사(實事)에 있으니, 실심으로 실사를 행하면 허물이 적고 과업을 이룰 수 있다.

네, 스승님. 명심하겠습니다.

TIP

석실서원은 경기도 남양주에 1656년 지어진 사설 교육기관으로 선대 학자를 기려 제사를 지내고 후학을 교육하는 곳이었다. 김원행은 집안이 1722년(경종 2년)에 일어난 신임사화에 연루되어 할아버지, 아버지, 두 명의 형을 잃자 일체 벼슬에 나아가지 않고 평생을 이곳에서 실학적 학풍으로 제자를 양성했다.

책에 있는 것을 곧이 곧대로 믿는 것이 아니라 참된 마음으로 본질을 파악하고, 실천하라는 것이야.

나도 참된 마음으로…

이런 가르침은 내가 낡은 성리학의 껍데기를 벗고 과학자로 성장하는 밑거름이 되었지.

과학자

성리학

실용의 중요성을 깨치고 나니, 같이 공부한 선배 김종후가 예학(禮學)*에 대한 해설서를 편찬한 것을 이해할 수 없었어.

예학 해설서

* 예학 – 유학의 이념과 제도, 의례 등을 연구하는 학문.

김종후에게

"예절이 실제 행해야 할 급한 일이라면, 천문, 수학, 재정, 군사 또한 마찬가지 아니겠습니까?
그런데 예절에만 중점을 두고 해설에 또 해설을 낸 것이 저로서는 이해할 수 없습니다.
잘은 모르겠지만, 선배께서 이런 글을 쓰지 않으면 세상이 주자의 글을 이해할 수 없는 겁니까?
…(중략)…
의례란 시대의 흐름에 적절하게 대응하면 어떤 방식을 택하든
모두 맞는 것입니다."

홍대용 올림

모름지기 학문은 쓸모가 있어야 하는 법이라고 생각했기 때문이야.

스승님은 나를 지극히 아꼈지. 물론 나도 스승님에 대한 존경의 깊이가 남달랐어.

진정한 실학자셨군요!

오버 하지 마!

나중에 스승님이 돌아가셨을 때 부모를 떠나보내듯 슬펐거든.

멀리서 바라보면 위엄스럽고 나아가 대해 보면 온화하다는 옛말을 스승님에게서 처음 보았습니다. 하늘이 해동 300년의 원기를 모아 선생님을 세상에 내었으니 선생님을 스승으로 모신 것은 참으로 천재일우의 기회였습니다.

참된 학문을 하는 자세는 어떤 것이어야 할까? 특히 과학은 어떤 자세로 공부해야 할까?

천재 과학 도령은 알고 있겠지?

자네는 어떤 자세로 공부해야 한다고 생각하는가?

음, 과학은 재미있게 공부해야 한다고 생각해요.

예를 들어 바람은 왜 부는지, 전등 속에는 뭐가 들어 있는지 등등 궁금한 게 많은데 왜 그런지를 알 수 있으니까 재밌죠!

뭐가 들었길래 빛나는 거야?

또 신기하다는 생각과 호기심이 과학을 공부하게 하는 것 같아요.

예를 들어 파리가 두 손만 비비는 줄 알았는데 다리로 날개까지 구석구석 잘 닦더라고요. 더러운 줄만 알았는데 이것도 신기하고… 알고 싶고 그래요.

깔끔파리라고 불러주세요.

오~ 이미 과학자네~

제가 이미 과학자라고요?

당근이라네, 천재 도령! 첨 봤을 때부터 알아봤지.

의문을 가질 것! 호기심과 의문이야말로 과학의 시작이니까.

의문은 두 가지에서 비롯되는데, 하나는 정밀한 관찰과 기록이고, 다른 하나는 비판적인 자세이지.

의문

관찰 기록

비판적 자세

파리 한 마리도 유심히 살펴보면 그 몸의 구조며 행동거지 등이 궁금해지지 않는가?

또한 당연하게 생각하던 것을 의심하고 논리적으로 따져보는 비판적인 자세는 수많은 질문을 던지게 하지.

나는 사서삼경을 읽으면서도 의심스러운 부분에 대해 조목별로 질문을 하고 그에 대한 자신의 생각을 정리했어.

문자를 대충 보는 사람에게는 의문이 없게 마련이다. 의문이 없는 데서 의문이 생기고, 맛이 없는 데서 맛을 느껴야 독서했다고 말할 수 있다.

이러한 자세 덕분에 나중에 조선 시대 사람들의 상식과도 같던 풍수지리설과 음양오행설을 비판하고

성리학적 세계관을 벗어나 우주에 대한 창의적인 아이디어를 내놓을 수 있었겠지?

그러나 이제부터 시작이라네. 의문이 생긴 다음도 중요하지!

그럼요! 끈질기게 추적해야죠.

홍대용의 탐구 방법 1
꼭 문자에만 매달리지 말고 어떤 일을 할 때 실험도 해보고 놀면서도 생각해 보며,

실험

시험

생각

홍대용의 탐구 방법 2
걸어 다닐 때나 앉아서나 누워서나 수시로 연구하고 탐색해야 한다.

연구

탐색

사색

이렇게 계속해 간다면 이해하지 못하는 것이 적어지고,

설사 이해가 안 되는 것이 있어도 이렇게 먼저 연구한 뒤에 남에게 물으면 빨리 통하게 된다, 알았지?

상대성 이론이… 양자역학은… 광양자설이다.

그렇군요!

지금의 용어로 말하자면 자기주도 학습이라고 할 수 있겠지?

옷~ 그것도 알고 계셨군요!

여러분들은 스스로 생각하지는 않고 너무 강의만 열심히 듣는 것 같아.

(a+b)(a-b

맞아요. 학교, 학원, 인터넷 강의까지 있어요!

정리된 지식만 반복해서 편하게 얻으니까 뭔가 찾고 생각하는 게 귀찮아진 건 아닐까?

그래요. 먼저 스스로 깊이 고민한 후에 물어보는 것이라고 하신 말씀은 21세기 살고 있는 우리에게 하는 것 같기도 해요.

획일적 교육

입시 위주

주입식 교육

껄껄, 중요한 가치는 변하지 않는 법이지.

학문의 자세

그러나 혼자만의 생각에 빠지면 자칫 독단적이고 엉뚱한 자기만의 세계에 빠질 수 있어.

캬캬캬! 난 천재야!

내가 최고야!

그래서 토론이 필요해. 나는 끊임없이 질문하고 스승님이나 교우들과 토론하기를 즐겼지.

토론

뿐만 아니라 직접 관찰하고 증명하는 것이 중요하다고 생각했다네.

다리 6개 Ok!

왜 자꾸 따라다녀!

"세상 사람들이 상투적인 것에 안주하여 눈앞의 이치를 탐구하지 않음으로써 평생 동안 이고 밟고 다니는 천지의 본모습에 어둡다." 이게 바로 내 생각이야.

선생님이 특히 자연과학에 집중하게 된 이유는 뭘까요?

수학

자연과학

예술

의학

철학

혹시 복불복?

스승님의 영향이 아주 컸지. 스승님께 영향을 받은 중요한
사상 중 하나가 바로 '자연의 가치'에 대한 것이었어.

18세기에 접어들면서 성리학에서는
'인간과 자연의 본성이 같은가, 다른가?'에
대한 논쟁이 일어났어.

성리학은 인간 중심적인 학문이라서 자연도 인간의 도덕률을 따라야
한다고 인식했지만

위아래 없이
부모와 겸상을
하다니…
버릇 없는 것.

자식 교육을
이 따위로
시키다니 역시
천한 금수로다.

스승님은 사람도 자연의 일부이며,
모두 하늘에서 생명과 적절한 역할을
부여받았으니 본성이 같다는 입장이었지.

특별히 사람이 더 귀한 것도
아니고, 겉모습이 다르니
자연이 사람과 똑같이
행동할 필요는 없지 않은가?

사람과 만물은 모두 각자 하늘이 부여한 역할을 하고 있는
귀한 존재라네.

이러다보니 나는 일찍부터 자연 현상과 만물도 인간만큼 중요하게 살피게 되었고,

자연에서 도덕성을 제거함으로써 인간과 자연의 분리라는 질적인 변화가 시작되었지.

자 연

도덕성

인 간

또 우리 가문에는 예로부터 관상감에서 벼슬한 사람이 많았어. 그러니 어렸을 때부터 자연과학에 친숙했어.

내가 본격적으로 자연과학을 공부한 것은 20살 무렵부터였어.

오~ 과학대 합격.

수능 몇 점?

특히 《서경》에 나오는 고대 천문관측 기구인 선기옥형에 관한 글을 읽고 천문학에 대한 열정이 생겼다네.

선기옥형

하지만 닥치는 대로 책을 읽고 하늘을 관측해 봐도 답답하긴 했어.

천지의 모습을 알기 위해서는 의지나 이치를 앞세울 것이 아니라 기기로 살피고 수로 계산해 내야 하거늘…

기기가 아니면 죽음을 달라!

Tip
관상감은 조선 시대 때 천문과 기상관측을 하고 지리학을 연구하던 관청으로 매년 천체의 움직임을 기록한 책력을 제작하고, 농사에 필요한 날씨 예보와 치수에 도움을 주었다.

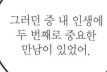
그러던 중 내 인생에 두 번째로 중요한 만남이 있었어.

첫 사랑?

29세 때 나주목사인 아버지를 따라 호남지방에 머물렀는데, 그때 나경적 선생님을 만난 거야.

나주

그때 그분 나이가… 70세?

혁, 옛날에 그 나이면 완전 꼬부랑 할아버지?

뭐라… 꼬부랑…

떽끼! 마음은 20대라고!

Come on yo~

아니 이런 누추한 곳에 귀한 양반댁 자제분이 어쩐 일로…?

선생께서 뛰어난 과학자라는 소문을 듣고

따르릉

아니 저건 무엇인지요?

서양 시계인 자명종인데, 시간을 알려주지요.

따르릉

저 때나 지금이나 똑같으시군요.

강물을 퍼내는 기계,
물 저장 장치, 수력을 이용한
마분기를 만들자면
뭐 이런 식으로…

그리고…
이건 혼천의인데…

뒤적

뒤적

혼천의?

서양의 방법을 참고하면서
수년 동안 관찰하고 연구한 결과
대략 제작 방법을 알게 되었습니다만
집안이 어려워 아직…

혼 천 의 설 계 도

돈 걱정일랑
하딜덜 마시게.

젊었을 때에
부자였어요?

100% 아버지
출자 사업!

나주 관아

불러주셔서 감사합니다.

나경적의 제자 안처인이라 합니다.

설계는 나경적이 주로 하였고, 제작은 안처인의 솜씨로 이루어졌다고 해.

혼천의는 천체 관측 기구로 매일 태양과 달, 행성의 위치를 정확히 관측하고 예측할 수 있는 기계야.

쇠로 된 커다란 세 개의 고리로 구성되어 있는데, 평평하게 설치한 것은 지평선이고 여기에 24방위와 절기를 표시하였지.

안쪽에 마찬가지로 태양이 지나가는 길인 황도,

달의 길인 백도,

천체의 위치를 찾는 기준이 되는 적도선 등의 고리를 만들어 연결했어.

1년을 훌쩍 넘기고 드디어 큰 혼천의를 완성했는데, 생각보다 복잡하고 착오도 좀 있었어.

아… 2% 부족해. 뭔가 방법이 있을 텐데.

보다 간편하고 정확한 혼천의를 만들어야겠어.

자명종을 연구하면서 알게 된 톱니바퀴 방식을 응용해 보자.

뭐든지 그냥 넘어가는 법이 없다니까.

완성!

해냈다!!

이제 죽어도 여한이 없네.

세 사람이 의기투합하여 혼천의 제작을 시작한 지 3년 만에 두 대의 혼천의를 완성했고, 얼마 후 나경적 선생은 세상을 떠났어.

선생을 만나지 못했더라면…

애써 만든 기계가 망가지면 안 될 텐데…

아! 고향에 천문대를 지어야겠다.

여차저차해서 돈을 좀…

옛다!

파파보이 아닌가요?

나는 시골집 근처에 2층짜리 농수각(籠水閣)이라는 작은 천문대를 지었는데, 관측할 수 있는 루(樓)의 이름을 스승인 김원행이 담헌(湛軒)*이라고 지어주고 액자도 보내주셨어.

湛軒

이곳에 머물면서 아침 저녁으로 자연과학과 수학을 공부하면 잘 어울리겠지?

또 공부…

* 담헌 – '처마 밑에서 즐기다' 라는 뜻.

그리고 얼마 후, 35세(1765년) 때 평생 소원이자 과거 합격과도 바꿀 수 있는 엄청난 기회를 얻었어. 그것은 바로 청나라 연행이었어.

청나라

배낭 여행?

작은 아버지의 자제군관, 지금으로 하면 개인비서 자격으로 꿈에 그리던 연행을 떠났지.

당시 청나라는 서양과 활발한 교류를 통해 다양한 문물이 들어와 있었어.
수레, 선박, 시장, 등불, 유리창 등 보는 것마다 눈이 휘둥그레졌지.

내가 이토록 청나라 여행을 소망했던 것은 특히 서양 선교사를 만나 천문과 수학에 대해 토론하고 싶었기 때문이야.

선교사? 크리스챤이 되실려고?

당시 서양 선교사들은 천문 연구 기관인 흠천감의 직책을 겸하고 있었거든.

가자마자 남천주당부터 방문했는데 연행 기간 동안 여러 번 방문했어.

나는 서양식 건물의 응접실 벽면에 걸린 세계지도와 천문도에서 눈을 뗄 수 없었어. 그곳에서 유송령(A. von Hallerstin)과 포우관(A. Gogeisl)*이라는 두 선교사를 만났는데, 수학에 능통한 분들이었지.

* 당시 선교사들은 중국인과 친해지기 위해 중국식 이름을 만들어 사용했다.

또 서양 악기인 오르간도 인상적이었어.

오늘은 아파서… 대강 이렇게 연주합니다.

그렇군요.

홍대용은 《열하일기》로 유명한 박지원이 "우리나라의 이름 높은 거문고 연주자로 홍대용이 있다."고 할 정도로 연주 실력이 뛰어났어. 서양 오르간도 보자마자 연주할 정도로 악기에 능숙했대.

대단하다!

파이프 구멍이 열리고 닫히고… 건반을 누르면… 오호라… 구멍이 열리고….

음… 생황과 비슷한데 사람의 호흡이 필요없고… 기기만으로… 역시 서양 방식이다.

그렇게 명확하게 설명하는 것을 보니, 분명히 전에 와서 보고 간 분인가 봅니다.

처음… 인데요.

다음은 망원경!

음… 받침대는 발이 세 개… 삼발이라 부를까…

망원경 통은 청동으로 만들었는데, 통의 크기는 조총의 통만하고

길이는 석 자 남짓, 양 끝에는 각각 유리를 끼웠다.

역시… 선생님은 호기심 종결자.

나는 태양 필터를 끼운 망원경으로 해를 관찰하고 흑점에 대해 물어보았어.

해의 가운데는 세 개의 흑점이 있다고 하는데, 지금 보이지 않는 것은 어떻게 된 일입니까?

많을 때에는 여덟 개까지도 보이지요. 개수가 변하는 것은 해가 돌고 있는 공과 같기 때문입니다. 지금은 그것이 안 보이는 때입니다.

흑점은 세 개뿐이 아닙니다.

해가 돈다면, 지구도 돌 수 있는 것 아닌가.

관상대에 다른 기구도 많습니다.

띠옹

관상대는 천문 관측 기관으로 국가 시설이라 금지 구역이었지만 귀국길에 잠깐 둘러보는 행운을 얻었지.

빨랑 나와요!

사실 아침 일찍 관리인에게 졸라서 상사가 없는 틈을 타 잠깐 본 것일 뿐이지만 말야.

······

그곳이 현재 북경 동남쪽 건국문 옆에 있는 고관상대로 지금은 입장료만 내면 누구나 구경할 수 있어.

통역의 한계와 여러 제한 때문에 아쉬움이 남는구나.

하지만 이 아쉬움을 채우고 남을 일이 있었지!

청국 여자랑 데이트?

바로 엄성, 반정균, 육비와 만난 것일세.

일행 중 안경을 사려는 사람이 있었는데

안... 보여...

제약 때문에 상점에서 살 수가 없네···.

그러다 안경 쓴 두 사람이 지나가길래

하나만 파시지요~.

하나만 팔라고 졸랐더니 그냥 벗어주고 안경 값도 안 받는 거야.

정말 감사합니다.

괜찮습니다.

다음날 인사를 하기 위해 만났는데, 첫눈에 보통 인연이 아님을 알아봤지.

그들과 인간과 우주, 유학에 대한 생각을 토론하다보면 시간 가는 줄 몰랐다네.

이때의 토론은 나중에 내가 과학자가 되는 데 큰 도움이 되었어.

선생님이 말한 토론의 중요성이군요.

토론

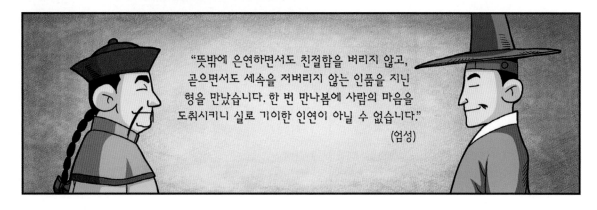

"뜻밖에 은연하면서도 친절함을 버리지 않고, 곧으면서도 세속을 저버리지 않는 인품을 지닌 형을 만났습니다. 한 번 만나봄에 사람의 마음을 도취시키니 실로 기이한 인연이 아닐 수 없습니다."

(엄성)

이별은 천추에 견디기 어려운 아픔이네
나그네 시름 봄비처럼 멈추기 어렵고
즐거운 마음 새벽별처럼
사라지기 쉽네
(반정균)

이들과는 귀국하고도 계속 편지를 주고
받으며 손자 때까지 교류를 계속했지.

이때 필담을 모아 엮은 책이
《회우록(會友錄)》이야.

진짜야!
꽤 인기
좋았다고!

사실 확인을 위해
주위 사람을 인터뷰
해보겠습니다.

《회우록》이요?

밥 먹으면서도 읽고
누워서도 읽고,
이 책 때문에 잠을
못잤다니까요.

이번엔 경제 실학자 박제가
선생님을 만나보도록
하겠습니다.

여보!
세수해야죠!

왜 그렇게 이 책에
몰두하시는 거죠?

벗 사귐의 모범이지요.
이것이 바로
천애지기(天涯知己)*
아니겠습니까?

* 천애지기 - 아득히 멀리 있어도 알아보는 친구.

여러 모로 청나라 연행은 나의 학문에 중요한 전환점이 되었어.

예나 지금이나 여행은 좋은 거죠.

우선 서양 과학과 수학의 중요성을 다시 한 번 확인했지.

옛 사람들이 하늘에 대해 정밀하게 알았다고는 하나 주먹구구 정도였어. 서양은 수학을 근본으로 계산해 제작한 기계를 사용하니 비교할 수 없을 정도였지.

다양한 과학 지식과 사고를 검증하고 체험을 하면서 새로운 사실도 많이 알게 되었고, 내 생각에 확신을 갖게 되었지.

두 번째로 청나라 문물에 대한 인식이 크게 바뀌었어.

요즘은 별론데…

청나라는 만주 지역에 살던 여진족이 세운 나라로 1644년에 한(漢)족의 나라인 명나라를 멸망시키고 중국 본토를 차지했어.

한족은 그동안 오랑캐라고 무시했던 민족의 지배를 받게 된 것이지.

조선도 청나라와 두 차례 전쟁(정묘호란, 병자호란)을 치르고 결국 임금이 무릎을 꿇고 항복한 적이 있지.

조선 사대부들은 명나라가 망할 때, 이제 조선만이 명나라의 선진 문화를 계승하여 예와 도덕을 갖춘 유일한 나라라는 자부심을 갖고 있었어.

명나라에 대한 의리는 부모에 대한 것과 같다.

그래서 청나라에 항복하면서도 그들의 문물은 여전히 무시하고 배척했어.

쯧쯧…
머리 모양 좀 보게나. 역시 오랑캐로다.

그러다가 18세기에 들어오면서 실학자를 중심으로 청나라에 대한 인식을 반성하는 움직임이 생겨났지.

좋은 것은 내우자!

무조건적 배척은 애국이 아니다!

국력을 키우자!

실학은 국력!

실학이 발생한 것 자체가 조선 후기의 혼란과

전쟁
흉작
가난
민란

청나라에서 전해온 새로운 문물로 인한 자극이었으니까.

나도 집권 세력 가문 출신이어서 처음엔 대다수의 사대부들처럼 청나라에 대한 우월의식을 갖고 있었어.

하지만 직접 청나라의 문물을 보고 평생의 친구를 만나 교류하면서 180도로 변했지.

그 후 중화사상을 완전히 부정하고, 그동안 오랑캐라고 불렀던 민족의 문화에 대해 모두 존중해야 한다고 주장하게 되었단다.

이 주장은 박지원, 박제가와 같은 북학파의 사상적 기반을 마련해 주었지.

우주에 대한 획기적인 발상!

마치 코페르니쿠스 같은데… 그렇다면…

조선의 코페르니쿠스 홍대용 선생님을 소개합니다!!

뭘 그렇게 까지야…

우아, 좀 더 자세히 얘기해 주세요~.

아이고, 오랜만에 말을 너무 많이 했어.

나머진 허자와 실옹이 얘기해 줄 거야.

허자?

실옹?

티코 브라헤의 우주

신성(新星, 새로운 별)을 발견한 티코 브라헤

▲ 티코 브라헤

티코 브라헤(Tycho Brache, 1546~1601)는 덴마크의 천문학자입니다. 어려서부터 자연과학과 천문학에 관심이 많았지만 어른들의 뜻에 따라 당시 촉망받는 직업인 법률가가 되기 위해 대학에 들어가 법학을 공부했어요. 하지만 그것보다는 틈만 나면 밤하늘을 관측하는 데 더 열중했지요. 천문학에 관심을 갖게 된 계기는 일식 때문이었다고 합니다.

어느 날 환하던 낮이 순식간에 어두워지는 일식에 모든 사람들이 감탄하고 있을 때, 티코는 '과학자들이 어떻게 이걸 예측할 수 있었을까'에 더 큰 호기심을 느꼈지요. 그리고 당대 최고의 천문학 책이었던 프톨레마이오스의 《알마게이트》를 비롯해 각종 관련 서적을 독파하며 혼자 공부했어요. 아마 코페르니쿠스의 《천구의 회전에 관하여》도 읽었을 거예요. 그러다가 기존 천문도가 정확하지 않다는 것을 알았어요. 예를 들어 목성과 토성이 일직선에 배열되는 현상을 예상하긴 했는데, 실제 일어난 것은 과학자들이 예측한 시간보다 몇 시간 후였거든요. 티코는 아주 작은 오차도 허용하지 않을 만큼 세심한 사람이었기에, 자신이 훨씬 더 정확한 천문도를 만들겠다고 다짐한 거예요.

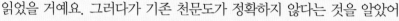

1572년 11월, 티코는 카시오페이아자리에서 갑자기 나타난 밝은 별을 발견했습니다. 밤하늘에 떠 있는 어떤 별보다도 밝았어요. 그런데 그 빛이 점차 약해지더니 1년 후엔 거의 찾아볼 수 없었지요. 초신성이기 때문입니다. 초신성은 태양보다 10배 이상 무거운 별이 수명이 다해서 폭발하는 현상인데, 멀리서 보면 밝은 별이 갑자기 나타난 것처럼 보여요. 그래서 신성이라고 부른 거예요. 이 현상은 당시 사람들에게는 기절초풍할 일이었습니다. 옛날 아리스토텔레스 때부터 우주는 지상과는 다른 영원불변하고 완벽한 존재였는데, 우주가 변했으니까요. 그래서 지구의 대기에서 일어난 일이라고 생각했습니다. 티코는 이 변화를 세세

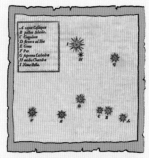

▲ 티코 브라헤가 그린 초신성

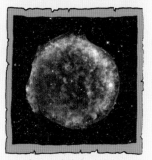

▲ 티코 브라헤 초신성

하게 기록했어요. 티코의 뛰어난 관측 능력에 감탄한 덴마크의 왕은 작은 섬에 천문대를 지어주고 마음껏 관측할 수 있게 해주었습니다.

천동설과 지동설의 합친 어중간한 브라헤의 우주론

티코는 수십 년 동안 관측을 하면서 차츰 프톨레마이오스의 천동설 모형에 의심을 품습니다. 우선 초신성은 대기권에서 나타나는 현상이 아니라 태양보다도 훨씬 먼 우주에서 일어난 사건임을 알았어요. 구름처럼 떠다니지도 않고, 한 번 생긴 다음부터는 우주에 있는 다른 별들과 마찬가지로 위치 변화 없이 똑같이 움직였으니까요.

또한 멋진 꼬리를 가진 혜성 역시 지구 대기권에서 일어나는 일이 아니라 우주에서 일어나며 그 궤도를 측정한 결과 태양을 중심으로 돈다는 것도 알았습니다. 천체들의

▲ 혜성

회전 중심이 반드시 지구여야 할 필요가 없어진 셈이지요. 그리고 행성들의 역행 시기와 속도 또한 실제 관측 결과를 천동설 모형으로 설명하기는 너무 복잡했습니다.

티코는 코페르니쿠스의 지동설이 맞는 이론일 거라고 생각했어요. 하지만 결정적으로 시차를 관측할 수 없었답니다. 지구가 움직인다면 비교적 가까이에 있는 별은 지구의 위치에 따라 그 위치가 변하는 시차가 관측돼야 하는데, 아무리 정밀하게 관측해도 그런 별은 없었답니다. 어떤 물체를 가까이 두고 왼쪽 눈과 오른쪽 눈을 번갈아 가려보면 물체의 배경이 달라져서 마치 물체의 위치가 변하는 것처럼 보이는데 이것이 시차입니다. 자신의 관측 능력에 대단한 자부심이 있었던 티코는 그런 현상은 없기 때문에 관측되지 않는 것이라고 생각했어요. 그래서 티코는 결국 새로운 우주론을 만들었지요. 태양을 중심으로 다섯 개의 행성과 별들이 돌고, 그 태양이 지구 주위를 도는 모형입니다. 오랫동안 대다수의 사람들이 믿어 온 아리스토텔레스의 자연관을 완전히 벗어나기는 이렇게 어려운 일이었지요.

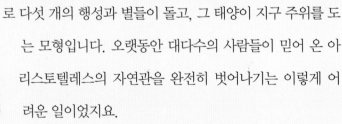

천동설과 지동설의 중간 형태인 티코의 우주 체계는 동

양에 많이 전파되었습니다. 중국에 과
학과 수학을 전한 것은 주로 선교사였
는데, 그들은 지동설이 금지이론이었기
때문에 대놓고 설명하지 못했거든요.
티코의 모형에서는 지구가 자전도, 공
전도 하지 않고 중심에 있기 때문에 종
교적으로도 문제가 없었습니다. 훗날
1838년 베셀에 의해 최초로 별의 시차
가 관측되면서 지동설은 완전히 받아들
여졌답니다.

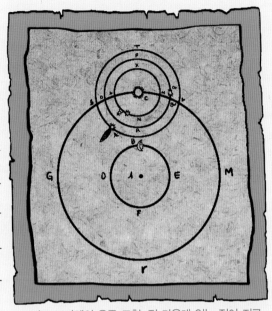

▲ 티코 브라헤의 우주 모형. 정 가운데 있는 점이 지구
이다.

제3장

허자, 세상을 나와 실용을 만나다

My name is 허자

허자는 오랜 시간 아무도 만나지 않고 책만 열심히 읽으면서 하늘과 땅의 변화, 사물의 본성과 운명에 대해 깊이 공부했어.

강자왈

맹자왈

30년 만에 오행의 근원과 옛 성현들의 깊은 뜻에 통달하게 되자

이런 거였어! 난 천재야.

드디어 세상으로 나왔어.

뻥!

세상 사람들이 이걸 알면 깜짝 놀라겠지?

하지만 허자의 얘기를 들은 세상 사람들은 모두들 코웃음을 쳤어.

인간의 도리란~ 세상의 이치란~

깜짝!

뭐래?

그걸 누가 몰라?

당연한 소리! 쓸데없이 말만 앞서는군.

의산문답

작은 지혜를 가진 자들과는 더불어 큰 것을 말할 수 없군.

무식한 것들~

실망한 허자는 자기를 알아줄 사람을 찾아 중국 북경으로 갔어.

北京

나라도 크고, 사람도 많으니까 이 중에는 날 알아주는 사람이 있을 거야.

그는 두 달 동안 벼슬아치들을 만나 자신의 학식을 뽐내봤지만 끝내 알아주는 이를 만나지 못했어.

1日 2日 3日 4日 5日 6日

도(道)를 공부하는 이가 사라졌는가, 내가 정말 잘못된 것인가?

혀벅

럭벅

결국 탄식하면서 다시 조선으로 돌아가기로 했지.

조선

허자는 돌아오는 길에 의무려산에 올랐어. 의무려산은 중국과 우리나라 국경 근처에 있는 산으로 중국에서는 백두산, 천산과 함께 동북 3대 명산으로 꼽을 만큼 멋진 산이야.

그중에서 내가 최고지!

의무려산 백두산 천산

가악

큰 도(道)를 알아보는 이가 이토록 없다니 아, 어찌하면 좋단 말인가.

에잇, 차라리 세상을 피해 이곳에서 사는 게 낫겠다.

이렇게 결심하고 산을 내려오던 중 돌문을 발견했어.

'실(實)' 이 사는 문?

의무려산은 화이(華夷)의 접경에 있는 동북의 명산이다.

틀림없이 세상을 등지고 숨어 사는 선비가 있을 터이니 내가 꼭 만나서 얘기해 보리라.

잠깐, 여기서 '화이(華夷)'란 말의 뜻을 살펴보자. 화이는 '빛나는 중심과 주변의 오랑캐' 라는 뜻으로 중국인들의 자기 문화 중심주의적인 생각을 보여주는 단어야.

예부터 중국인들은 자기 나라가 세상의 중심에 있고 한(漢)민족만이 유일하게 격조 높은 문화를 가진 민족이며 주변 민족들은 모두 오랑캐라고 무시했어.

우리가 최고

캬캬캬

조선은 중국에서 건너 온 유학을 나라의 정신으로 삼았기 때문에 유학에 담긴 중화사상도 함께 받아들이게 되었지.

특별부록 →

유학

중국

조선

물론 스스로를 오랑캐라고 생각하진 않았지만 중국의 문물을 더 멋있다고 생각하고 숭상했지.

중국문물

의무려산은 중국과 조선의 접경에 있는 산인데, '화이' 라고 표현한 것을 보면 허자가 그 당시 중화사상에 젖어 있던 조선 사대부를 대표하고 있다는 걸 알 수 있어.

중 화 사 상

돌문으로 들어가 보니 나무 더미 위에 지은 집에 한 거인이 홀로 앉아 있었어.

왠지 으스스 한 걸?

'실옹이 살고 있다' 라는…

實翁之居

내가 '허자' 라고 이름한 것은 천하의 '참' 을 살피고자 한 것인데,

虛 子

빌 허   아들 자

이 사람은 이름을 '실' 이라 한 걸 보니 '거짓' 을 이기고자 했나 보네.

實 翁

열매 실   늙은이 옹

'허허실실' 은 깊고 오묘한 진리이니 그의 말을 들어봐야겠다.

허자는 무릎걸음으로 기어가 절을 하고

두 손을 마주잡고 오른편에 섰어.

아니, 사람이 인사를 하는데 본체만체하다니!

이거 보이셔?

군자가 사람을 대하면서 진정 이렇게 거만할 수 있소이까?

> **Tip.**
> 허허실실(虛虛實實)
> 서로 계략을 다하여 적의 약점을
> 찌르고 견실한 부분을 피하여
> 싸우는 모습. 또는 틈을 보이지 않는
> 상대방에게 작전상 일부러 자신의
> '허'를 보여 상대방이 방심하게
> 만드는 경우.

그대가 동해에서 온 허자인가?

그렇습니다. 선생님께서는 어떻게 아셨습니까?

스토커?

점쟁이?

이름 그대로 헛똑똑이군. 술법은 무슨,

옷차림을 보고 말씨를 들어보니 동해 쪽의 조선 사람인 걸 알았지.

ㄱㄴㄷㄹ마ㅇ

조선

또 네 예법을 보니 겸손한 척하고 거짓으로 공손함을 꾸미고

實翁

오로지 겉으로만 사람을 대하니 네가 바로 허자임을 알았지.

아니, 이 노인네가! 기껏 나이 대접 해줬더니,

흠, 흠, 공손함은 덕의 바탕입니다. 방금 그렇게 인사한 것은 선생을 뵙고 어진 이라고 생각했기 때문입니다.

어찌 제가 거짓으로 공손한 체했다고 하십니까?

가까이 오라.

컴온!

그럼 내가 한번 물어보자. 너는 내가 누구라고 생각하느냐?

어진 이라는 것을 알 뿐이지, 제가 어찌 선생이 누구신지를 알겠습니까?

그래? 그럼 내가 누구인지도 모르는데, 어떻게 나를 어진 사람이라고 하느냐?

너야 말로 점쟁이냐?

예의상 최대한 듣기 좋게 해야겠지. 뭐, 이 정도쯤이야.

제가 선생을 뵈오니,

목소리는 마치 생황*과 종소리 같고,

세상을 피해 깊은 산 속에서 홀로 지내며 천둥번개와 같은 온갖 시련 속에서도 헤맴이 없을 것 같으니,

* 생황 – 아악에 쓰이는 관악기의 한 종류.

이걸로 선생께서 어진 사람임을 안 것입니다.

어때? 내 말솜씨에 녹아났겠지?

쯧쯧….

거짓말도 청산유수로군.

진짜 저 돌문과 나무 토막에 쓰인 말을 못 봤단 말인가?

너는 분명히 그것을 보고 내 이름이 '실옹(實翁)'이라는 걸 알았을 텐데 모른다고 하더니

어진 이라는 걸 알 뿐이지, 어찌 선생이 누구신지를 알겠습니까?

어진 사람인지는 알지도 못하면서 안다고 한 것이군.

뻥쟁이

보통 사람들이 잘 빠지는 유혹에는 세 가지가 있는데,

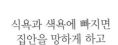

식욕과 색욕에 빠지면 집안을 망하게 하고

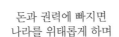

돈과 권력에 빠지면 나라를 위태롭게 하며

도덕과 학술에 빠지면 천하를 어지럽게 하는데,

너는 도술(도덕과 학술)에 빠져 있는 것 같구나.

또 너무 지나쳤도다.

이름은 덕의 상징이니, '실옹'이라는 이름을 통해 참사람이라는 것 정도는 알 수 있을지 몰라도,

이름이 지성이면 지성 피부?

생뚱맞게 어진 사람이라는 건 웬 말이냐?

겉모습만 보고 그저 듣기 좋으라고 어디서 주워들은 좋은 말은 죄다 갖다 붙여 꾸며낸 게 너무 티가 나지 않는가?

들켰나?

무릇 피부나 살은 부드러워 흙과 나무와는 거리가 멀고

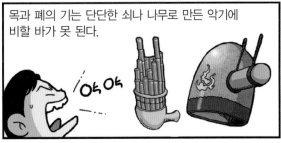

목과 폐의 기는 단단한 쇠나 나무로 만든 악기에 비할 바가 못 된다.

또 세상을 피해 홀로 선 이는 공자이고,

천둥번개와 같은 시련 속에서도 헤매지 않은 것은 순임금인데,

네가 진짜 나를 공자나 순임금 급으로 생각해서 말했겠는가?

그렇다고 나의 학문이 공자만 못하고, 나의 거룩함이 순임금만 못하다고 할 수도 없을 테고,

결국 알지도 못하면서 보자마자 잽싸게 그럴싸한 비유를 들어 말했으니,

거짓말로 아첨하는 것이 아니면 미친 게 아닌가?

아첨꾼

미친놈

TIP.
순임금:
중국 요순시대
부모와 이복동생의
온갖 천대를 받고도
끝까지 효도를
다했다는 전설적인
성군.

또 하나 물어볼까?

그대가 생각하는 '어진 사람' 이라는 것이 무엇인가?

* 정주 – 중국 송나라 유학자인 정호·정이 형제와 주희.

공자를 숭상하고, 정주*의 말씀을 익히며,

아흥

바른 학문을 붙들고, 삿된** 학설을 물리치는 사람입니다.

바른학문

** 삿되다 – 바르지 못하고 나쁘다.

그래서 어짐으로 세상을 구하고

명철보신   하는 것이 유가에서 말하는 어짐이지요.

*** 명철보신(明哲保身) – 총명하고 사리에 밝아 일을 잘 처리하며 자기 몸을 보존함.

푸 하하

너는 정말 도덕과 학술에 홀려 정신을 못 차리고 있군.

이토록 학문이 망했으니 슬픈 일이도다.

지금부터 내 얘기를 잘 듣거라.

70 의산문답

공자가 죽은 뒤로 뭇 선비들이 공자의 참뜻을 어지럽히고,

공자 왈, 이렇게 하랬어.

내가 언제!!

주자 문하의 마지막에 가서 뭇 유생들이 그 학문을 혼란케 하여

스승님, 이게 무슨 뜻입니까?

父子의도

사람의 도리로서 부모님께 예를 갖추는…

아~ 예를 갖추라고요?

아버님 환갑잔치 마스터플랜

제목: 허례허식 10가지
1. 비단 옷, 색깔은 핑크
2. 옷감은 장인이 한땀 한땀 만든 것으로 살 것
3. 밤과 대추는 꼭 20단 맞추기
   ⋮

이 정도는 돼~야 환갑이구나 하지.

이거 20단이 안 되잖아. 예의없게스리…

보이는 것보다 마음이 중요하다고 일렀거늘… 쿨럭쿨럭!

즉, 사람들이 주자와 공자를 높이 숭상하면서도 그 참됨을 잊어버리고,

그분들 같은 성인이 또 나타날 수 있을까…

그러게… 2차는 어디로…

그 말씀은 익히면서도,

그 뜻을 잃게 되었다.

바른 학문을 지탱한다는 것도

사실은 자만심에서 비롯된 것이고,

삿된 학설을 물리친다는 것도

실제로는 이기고자 하는 마음에서 비롯된 것이다.

어짊으로 세상을 구한다는 것도

사실은 권력을 위한 마음에서 나오는 것이고

명철보신한다는 슬기로움도

몸가짐과 생각을 항상 삼가고…

실제로는 이익을 탐내는 마음에서 온 것이다.

그러면 누가 칭송해주겠지. 아우 귀찮아.

Money

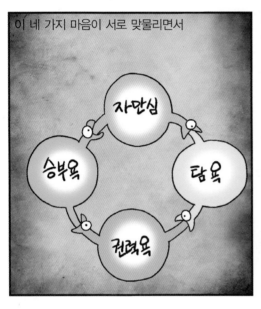

이 네 가지 마음이 서로 맞물리면서

자만심

승부욕

탐욕

권력욕

참된 뜻은 날로 사라지고 온 천하가 그런 풍조를 따르면서 거침없이 거짓을 향해 치닫는 것이다.

지금 너는 가식적으로 겸손하고 공손하게 행동하면서 스스로 어질다고 생각하고

이렇게 공손하게 인사할 줄도 알고, 역시 난 배운 남자야.

겉모습과 목소리만 듣고 과장되게 칭찬하며, 괜히 남을 어진 사람으로 만들고 있지.

마음이 거짓되면 몸가짐이 거짓되고, 몸가짐이 거짓되면, 모든 것이 헛되도다.

뺑쟁이

거짓말쟁이

사기꾼

스스로에게 거짓되면 남에게도 거짓되고

돈 꿔주라! 내일 줄게!

뺑이지롱~.

남에게 거짓되면 천하의 일이 모두 헛된 일이다.

그래서 도덕과 학술 속에서 정신을 못 차리면 천하를 어지럽히게 되는데, 이해하겠느냐?

실옹의 꾸지람에 허자는 잠시 동안 아무 말도 하지 못했지.

자신도 미처 깨닫지 못하던 자만심과 욕심을 낱낱이 끄집어냈으니까.

자만심

욕심

선생의 말을 들어보니 그동안 저는 마음에 찌꺼기만 두고, 종이 위의 상투적인 말만 하고

속된 학문을 해온 탓에 작은 것이 전부인 줄 알았던 것 같습니다.

털썩

이제 깨닫는 바가 있는 듯한데, 선생께서 생각하시는 대도(大道)의 핵심을 가르쳐 주십시오.

지금까지의 내용은 이 책을 쓴 홍대용이 과거에 합격하기 위해 경전을 달달 외고, 실천하지는 않으면서 말로만 예법을 찾는 양반들의 가식적인 예절을 신랄하게 비판하고 있는 거야.

실옹은 허자가 그래도 반성하는 것처럼 보여서 기회를 주기로
했어.

그대의 얼굴을 보니 주름도 지고, 벌써 흰머리도 제법 있군.

먼저 네가 그동안 뭘 공부했는지 말해 보아라.

면접인가?

저는 어려서부터 성현의 책을 읽고, 시와 예를 공부하고,

늘 성의를 다해 공경하는 마음을 갖고, 일도 잘하고,

경세제민*을 생각하고,

벼슬길에 나아갈 때나 물러날 때는 옛날에 살던 뛰어난 재상들처럼 몇 번을 사양하다가

* 경세제민(經世濟民) – 세상을 잘 다스려 도탄에 빠진 백성을 구함.

세상에 나와 천하를 평정하고자 했지요.

그 밖에 예술과 천문, 역법, 군사 병법, 만들기, 수학,
음악 등등을 섭렵하여…

바쁘다. 바빠

$\sqrt{12.3} = 3.507$

한 마디로 난 못 하는 게 없는 이 시대의

이 정도면 저 노인네도 감탄하겠지? 내가 이 정도일 줄은 몰랐을 거야.

네 말대로라면 유학자로서 모두 갖추었거늘, 또 무엇이 모자라 배움을 청하는가?

내 말꼬리를 잡아 날 난처하게 만들려는 건지

나를 시험해 보고, 학문을 겨뤄 보겠다는 속셈인지 모르겠네.

선생님, 무슨 말씀이십니까?

저는 경험도 없고, 큰 도에 대해서도 들어본 적도 없습니다.

그 동안 우물 안 개구리처럼 스스로를 높여왔으나 실상은 여름벌레가 얼음 어는 것을 의심하듯 무식했던 것뿐입니다.

내 노래 죽이쥐?

뭐? 물이 딱딱해진다고? 장난해~.

참 재밌는 비유지? 여름 한 철 살다 죽는 여름벌레가 어떻게 겨울을 알겠어. 아는 것도 별로 없으면서 자기가 모르는 건 의심부터 하는 걸 비유한 거야.

의산문답

지금 선생님을 뵈오니 마음이 환히 트이고 귀와 눈이 맑고 상쾌해져 진심과 정성을 다하려는데 무슨 말씀이십니까?

저 반성 많이 했어요~.

실옹과 허자의 만남은 홍대용이 강조하는 가장 기본적인 마음가짐인 실심(實心), 즉 참된 마음을 갖고 학문을 시작하라는 의미가 담겨 있어.

권력다툼에 정신이 팔리거나 뽐내기 위해 학문을 하던 250여 년 전 사대부를 향한 비판이지만

혹시 허자처럼 뜨끔해진 친구는 없니? 사람을 판단할 때 외모와 지위만으로 속단하고 아첨하거나

조금 아는 것을 뻥튀기하고 왜곡해서 자랑하며 '있어 보이려고' 했던 적은 없었는지 말이야.

실옹은 화를 내며 가버리거나 우기지 않고 끝까지 배움을 청하는 허자를 깨닫게 해주기로 했어.

허자의 30년 공부의 허점을 순식간에 파헤친 실옹!

그럼 이제 본격적으로 실옹께 세상의 이치를 배워볼까?

조금은 반성한 것 같긴 한데, 그렇다면…

제4장

사람과 만물은 모두 귀하다

이제 본격적으로 홍대용이 말하는 세상의 큰 도(道)를 만나볼까?

잠깐!

탁!

먼저 자연에 대한 기본 태도 점검이 있겠습니다.

?

홍대용은 본론을 사람과 동식물의 본성에 대한 논의로 시작해. 이 문제가 자연과 사회 전체에 대한 세계관 변화의 시작이라고 봤거든.

같을까, 다를까?

그래서 4장은 내용은 얼마 안 되지만 그의 사상에서 기둥처럼 매우 중요한 위치를 차지하고 있어.

장난쳐?

튼튼한집
SALE

당연히 다르지요.

사람의 몸은 온 우주를 담고 있으니 동식물과 비할 바가 아닙니다.

그래? 그럼 너의 몸이 다른 생물과 어떤 점이 다른지 얘기해 보아라.

머리가 둥근 것은 하늘을, 발이 네모난 것은 땅을 상징합니다.

내 머리도 둥근데… 내 발바닥도 좀 보슈.

살갗과 머리털은 산과 수풀이요, 피는 강과 바다입니다.

내 털은 훨씬 더 수북한데? 허허. 피 안 흐르는 동물도 있나?

내 멋진 이파리를 보라지. 나도 진액이 있다고!

두 눈은 해와 달이고, 호흡은 바람과 구름입니다.

안 보여?

광합성할 때 이산화탄소를 흡수하는 건 알고 있겠지?

니들은 나한테 고마워해야 돼.

음… 네 말대로라면 사람이 동식물과 다른 것이 거의 없구면.

엥? 이게 아닌데…

사람은 작은 우주라고 했는데….

홍대용은 각각의 기질이나 행동은 조금씩 다르겠지만, 가장 기본적인 부분을 살펴보면 동식물도 인간과 비슷한 점이 아주 많다는 걸 말하고 싶은 거야. 모두 살아 있는 생명이잖아.

우리도 한 번 생각해볼까? 세상에 살아 있는 것은 크게 사람, 짐승, 초목으로 구분할 수 있어.

세 무리가 복잡하게 얽혀 살면서 서로 망하게도 하고 흥하게도 하는데,

자, 그럼 이들 중 누가 제일 귀하고, 누가 천할까?

금메달의 주인공은?

여러분은 대부분 이렇게 생각하고 있을 거야.

초목은 건드려도 움직이지도 못하고, 짐승은 깊이 생각할 줄을 모르니까.

2+2=?

예의도 없지요.

과연 사람이로다.

허자가 말한 '예의' 란 뭘까?

흔히 생각할 수 있는 것이 '오륜' 이야.

五倫

이건 아님….

부자유친(父子有親), 즉 부모와 자식 사이에는 사랑이 있어야 하고,

군신유의(君臣有義), 즉 임금과 신하 사이에는 의리가 있어야 하고,

장유유서(長幼有序), 즉 윗사람과 아랫사람 사이에는 순서가 있어야 하고,

부부유별(夫婦有別). 즉 남편과 아내 사이에는 구별이 있어야 하고,

붕우유신(朋友有信). 즉 친구 사이에는 믿음이 있어야 한다는 말씀!

'다섯 가지 윤리, 오륜!' 하지만 오륜은 사람의 예의지.

짐승의 예의는 떼를 지어 다니며 서로 불러 먹이는 것이고,

초목의 예의는 무리 지어 더부룩이 자라면서도 평안하고 느긋한 것이지.

그렇다면 각자 저마다 갖춰야 할 예의를 지키고 있는 거잖아.

똥 싼 건 모래로 잘 덮는 게 예의야. 우리에게도 나름의 룰이 있다고요~.

사람의 눈으로 동식물을 보면 사람이 귀하고 동식물이 천하지만,

TIP

《의산문답》에는 사람의 예의로 오륜(五倫)과 오사(五事)를 언급한다. 오사란 사람의 다섯 가지 중요한 일로서, 외모는 단정해야 하고, 말은 조리 있게 하며, 보는 것은 밝아야 하고, 듣는 것은 분명해야 하며, 생각은 슬기롭게 하는 일이다.

동식물의 눈에는 오히려 사람이 천할 수도 있어.

당신의 푹신한 비계 덩어리에 반했어.

흥. 콧구멍이 작은 돼진 싫어요.

능력과 쓰임새를 살펴볼까? 봉황은 천 길을 날고 용은 하늘 높이 올라갈 수 있으며,

튤립과 울금향은 제사를 지내거나 점을 치는 데 보배처럼 쓰이고

소나무와 측백나무는 재목으로 귀히 쓰이지.

이러니 인간과 비교했을 때 정말 귀천을 가릴 수 있겠냐는 거야.

오히려 동물이나 식물은 아는 게 없으니 속임도 없고,

움직이지 못해 나쁜 짓을 안 하니 사람보다 훨씬 더 귀할 수도 있지 않을까?

안 주면 맞는다.

돈 좀 꿔줘. 내일 줄게!

이런 일은 만화에서나

어떻게 생각하나?

그…그게

아무리 날고 기어도 짐승이고 초목이지요.

공약
1. 물가 안정
2. 세금 인하
3. 무상 교육
4. 기름값 인하
5. 일자리 창출
6. 무상 급식

한번 밀어 주세요!

사람처럼 백성을 윤택하게 하려는 어짊이 있겠습니까,

세상을 다스릴 지혜가 충분 하겠습니까?

세종대왕

옷과 의장* 제도도 없고, 예절, 음악, 무기, 형벌을 행하지도 않는데, 어찌 사람과 같을 수 있겠습니까?

* 의장(儀裝) – 의식(儀式)을 행하는 장소의 장식이나 장치.

죄다 사람들 세상뿐이군. 굳은 사고방식을 좀 깨뜨리라니까!

쯧쯧…

물고기들을 놀라게 하지 않는 것은 용이 백성을 윤택케 하는 것이고

까마귀와 참새를 놀라게 하지 않는 것은 봉황이 세상을 다스리는 법이지.

구름의 다섯 빛깔은 용의 의장이고,

봉황의 무늬는 훌륭한 복식이며

광풍과 폭우, 벼락은 용의 무기이자 형벌이고

높은 산봉우리에서 서로 응하며 울음 우는 것은 봉황의 예절이자 음악이지.

자만심만큼 큰 도에 해가 되는 것이 없는데, 사람이 사람을 귀하게 여기고 동식물을 천하게 여기는 것이 자만심의 뿌리니라.

실옹이 지적한 것처럼 정신적 기반이 되어야 할 성리학이 급변하는 조선 후기 사회 속에서 점차 실용과 거리가 먼 공리공론으로 백성의 삶과 분리된 것은,

권력을 유지하기 위한 이념적 토대로 만족한 성리학의 자만심 때문이었어.

당시 성리학은 주자의 해석에 또 해석을 붙이고, 다시 설명한 후, 그 틀 안에 갇혀 새로운 해석이나 비판을 허용하지 않았어.

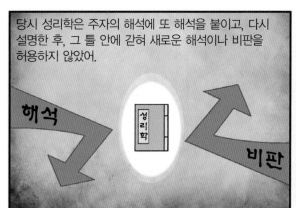

사실 성리학이나 실학이나 모두 유학의 한 갈래야. 공자와 맹자 같은 옛 성인의 말씀을 달리 해석하고 있을 뿐이지.

그런데 기존의 성리학에 젖어 있는 기득권층은 실학을 학문 취급도 안 했지.

양반이 되어서 농법과 장사 얘기를 하다니! 에잉, 쯔쯧….

실학자들이 많은 개혁 정책을 내놓았지만 상당수 실현될 수 없었던 것은

뜻을 펼칠 수 있는 높은 벼슬에 오르는 것 자체가 불가능했기 때문이야.

이에 홍대용은 구체적인 정책보다 더 근본적인 해결방안은 양반들의 의식 개혁이라고 본 거야.

가령 벽에 곰팡이가 슬었을 때 그 부분만 닦으면 잠시 동안만 깨끗할 뿐이야.

좀전에 닦았는데 또 곰팡이가…

그보다는 근본적인 원인을 해결해야지.

지붕을 교체해야겠어.

아~빗물이 새니까 습기가 찼군.

이 비에…?

홍대용은 사람과 동식물의 본성에 대한 논의를 통해 양반들의 자만심과 우월 의식부터 건드리고 싶었던 거야.

귀하고 천하다는 가치는 평가 기준에 따라 상대적이거든.

천한 짐승….

한입거리도 안 되는 게….

그래서 홍대용은 "하늘의 눈으로 사물을 보라."고 말하지.

니들 다 똑같아. 각자 독특한 가치를 갖고 있는 귀한 생명이라고!

이것은 내가 새로운 사상과 세계관을 형성하는 방법이었어.

물론 홍대용도 바탕은 성리학이기 때문에 인간이 더 가치 있다는 생각을 완전히 부정하지는 않아.

흠흠, 뭐 인간이 더 똑똑한 건 사실이지.

성리학

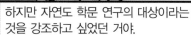

하지만 자연도 학문 연구의 대상이라는 것을 강조하고 싶었던 거야.

즉 그동안 사람에게만 집중되어 있던 관심을 자연으로까지 확대하여 시각을 넓히고,

객관적인 눈으로 보자는 것이지.

너도 귀한 존재!

내가 귀한 존재면

성인은 만물을 스승으로 삼았지.

예를 들어 임금과 신하의 예의는 대개 벌들에게서 가져오고,

군대의 진법은 개미들에게서 가져오고,

예절의 법도는 박쥐에게서 가져오고,

그물 치는 것은 거미에게서 가져왔다네.

홍대용은 이런 객관적이고 겸손한 자세가 새로운 학문의 시작이라고 주장하는 거야.

객관적

겸손

새로운 학문

실제로 홍대용의 자연에 대한 깊은 관심은 학문적 실천으로 이어졌어.

혼천의 등 천문 관측기구를 제작하고,

제작: 홍대용
가격: 싯가

자연과학에 대한 얘기가 담긴 《의산문답》뿐 아니라
《주해수용》이라는 수학책을 썼어.

$(A \cup B)' = A' \wedge B'$

$\sqrt{\frac{1}{2}} \ \sqrt{2}$

난 수학책.

Tip

《주해수용(籌解需用)》은 홍대용이
저술한 수학책으로, 구구단, 면적법, 체적법 등
총 17가지 산법을 실용적인 문제를 들어
풀이방법을 설명하고 있다.
또한 측지학, 천측, 삼각법 등 천문 관측법과
관측 기구에 대한 설명, 음악의 수학적 해설도
실려 있다. 《의산문답》과 마찬가지로
연행을 다녀온 뒤에 쓴 것만 알 수 있을 뿐,
언제 썼는지 정확히 모른다.

물론 당시 기술의 한계 때문에 관측기구들이 별로
정교하지 못하고,

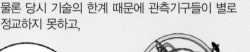

진짜
관측하는 데는
별 소용이
없었겠는데?

또 바탕이 성리학이다 보니, 자연과학에 관한 내용도
모든 것을 스스로 관찰하고 계산했다기보다는

이 정도
관찰했으면
됐겠지….

여러 가지 이론과 주장에 대해 이치를
따져보기만 한 것도 많다는 한계가 있어.

하지만 당시 사상적 상황을 보면 자연을 객관적인 대상으로
인식하고 탐구했다는 것만으로도

성리학

사람들 눈에 새로운 안경을 씌워줬다고
볼 수 있어.

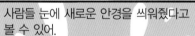

우아~
새로운
세상이다!

안 보여!

안 보여!

사람과 사물에 구분이
없다는 가르침을
삼가 받들겠습니다.

제5장

지구는 둥글고, 자전한다

그럼 이제 사람과 만물의 근원이라 할 수 있는 천지의 모습을 살펴볼까?

성리학에서는 세상이 '이(理)'와 '기(氣)'로 이루어져 있다고 설명해.

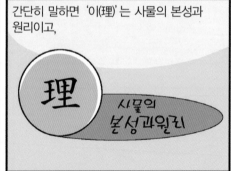

간단히 말하면 '이(理)'는 사물의 본성과 원리이고,

'기(氣)'는 만물을 이루고 있는 물질이라고 할 수 있어.

'이'와 '기'는 동양철학의 핵심인데, 매우 어려운 개념이야. 이와 기가 무엇이고, 둘 중에 어떤 것이 더 중요한 역할을 하는가는 오랜 논쟁거리였단다.

이가 먼저야.

기가 먼저야.

'이기론'은 모든 유학자들이 한 마디씩 할 만큼 성리학에서 가장 중요한 주제야.

너의 소속을 밝혀라!

나는 '주리(理)'이지.

이황

당시 조선에서는 인간과 자연현상을 아우르는 만물의 존재 이(理)를 기보다 더 중요하게 여겼어.

나는 절대적인 가치! 내가 없으면 만물도 없는 거야. 기(氣)는 내가 하라는 대로 할 뿐이야.

거참 시끄럽네.

어쨌든 나도 유학자니까요.

홍대용도 성리학적인 이기(理氣) 개념을 사용하여 우주의 원리를 이해하고 설명하는데,

너도 역시 내가 중요하지?

기(氣)가 그 변화와 운동을 실제로 경험할 수 있는 존재로서 훨씬 중요하고,

흥, 당연히 기가 먼저지!

말도 안 돼!

이(理)는 기(氣)가 형성한 사물이나 현상이 가지는 속성이나 원리일 뿐이라고 생각했어.

내 안에 이(理) 있다.

홍대용은 우주는 텅 비어 있고, 가득 차 있는 것은 기(氣)뿐이라고 했어.

우주는 안과 밖이 없으며 시작과 끝도 없는 곳이지. 광대한 기운이 쌓이고 엉기어 형체를 이루고 하늘에 두루 퍼져 일정한 자리에 머무르며 회전하는데, 그것이 땅, 달, 태양, 별이란다.

땅은 물과 흙이 바탕이 되고 그 형태는 원형이며, 공중에 떠서 쉬지 않고 돌고, 만물은 그 표면에 붙어 있는 거야.

원형?

하늘은 둥글고 땅은 네모지다고 했는데요?

쯧쯧, 또 책만 믿고 있구나.

땅이 둥글다는 사실은 17세기 후반부터 일부 지식인을 중심으로 차차 교양으로 자리 잡고 있었어.

땅이 둥근 건 기본이지.

우린 지식인이니까.

하지만 정보와 관심이 부족하고, 허자가 말한 '천원지방설'의 사상적 영향 때문에 일반화되지는 않았지.

뭐라는 거야. 천한 것들….

요즘 애들이란….

홍대용이 지원설을 가장 먼저 꺼낸 건, 이 사실이 세계관 변화에서 아주 중요한 역할을 하기 때문이야. 지원설의 근거를 들어볼까?

Tip.

지원설(地圓設)은 '땅은 둥글다'는 주장이다. 기존의 '지방설(地方設)'에서는 땅이 네모지므로 중심과 변두리 지역이 있기 때문에 자연히 중국이 세상의 중심이고 주변국은 오랑캐라는 세계관이 성립된다. 하지만 땅이 공처럼 둥근 형태라면 어느 한군데를 중심이라 할 수 없기 때문에 중국 중심 세계관에서 벗어나게 되는 중요한 발판이 되는 것이다.

첫째, 만물의 생김이 모두 둥글고 네모난 것이 없으니 땅도 그렇다.

이게 끝?

사실 이건 다른 사물의 형태를 통한 단순한 추리라 과학적인 논리는 아니야.

그럼 본격적으로 과학적인 추론을 보여주겠어.

둘째, 지구가 태양을 가리면 지구 그림자가 달을 가리는 월식이 생기는데, 달이 가려진 모양을 보면 둥그니까.

그림자 모양이 왜 저래?

누가 달 먹었어!

기원전 4세기경에 살았던 아리스토텔레스도 월식을 보고 지구가 둥글다고 주장했지.

저것이 증거다!

홍대용은 월식이 지구를 거울에 비춘 모습이라고 할 수 있으니, 월식을 보고도 지구가 둥근지 모른다는 건 거울을 보면서도 자기 얼굴을 몰라보는 셈이라고 했어.

이건 아냐! 내 얼굴은 장동건이라고!

너 정말 맞는다!

일찍이 태양·지구·달이 일직선상에 있을 때 일식이나 월식이 발생한다는 것은 알고 있었지만,

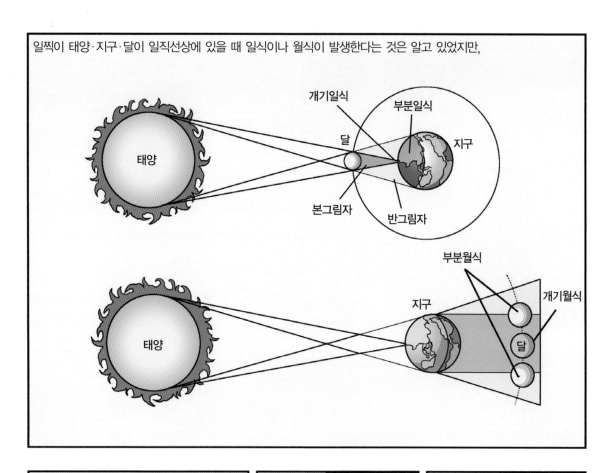

앞서 살펴본 것처럼 동양에서는 이를 천체 운행의 법칙으로 이해하기보다는 음양론의 테두리 안에서 이해하려고 했어.

오오⋯ 음이 양을 덮치고 있도다.

음의 기운이 약해지고 있구나.

Power Up!

그러나 홍대용을 비롯한 후기 실학자들은 식 현상의 원리를 지구의 모양과 연관시켜 설명했어.

그림자가 둥글면 원판도 둥글어야지!

일직선상이어서 그림자가 생긴 거 아냐?

셋째, 땅이 네모졌다면 높은 산에 올라갔을 때 중국의 태산이나 바다 건너 외국 땅도 한눈에 볼 수 있을 텐데, 과연 그런가?

사람의 시력에 한계가 있잖아요.

물론 그렇지.

다 보이면 독수리지, 인간입니까?

그러나!

항해를 하면 태양과 달이 바다에서 뜨고 지고, 들판에 있으면 태양과 달이 들판에서 지는 걸 볼 수 있지.

가장 멀리 있는 태양도 지평선에 걸쳐 있는 모습이 보이는데, 그럼 당연히 그 안쪽에 있는 땅은 모두 보여야 하는 거 아닌가?

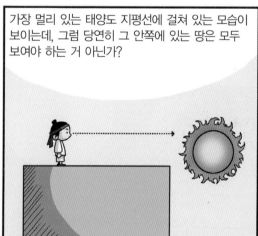

즉, 이건 시력의 문제가 아니라 땅이 구형으로 굽어 있기 때문인 거야.

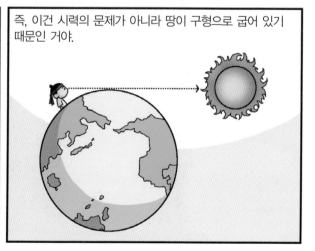

갈릴레이도 비슷한 말을 했어. 땅이 평평하다면 멀리서 오는 배를 볼 때 전체 모습이 점차 커져야 하는데, 돛대부터 보인다는 것이지. 지구가 둥글다는 좋은 증거야.

이렇게 홍대용은 옛날 사람이 기록한 말을 믿는 것이 직접 보고 실증한 것만 하겠느냐고 묻지.

책이 전부가 아니야.

그리고 "서양은 기술이 정밀하고 상세하며 측량을 잘 알아 지구가 둥글다는 말을 더 이상 의심하지 않는다."고 했어.

지구는 둥글다.

당연한 걸 왜 그래?

경험과 관찰이 중요하다니까!

홍대용은 둥근 지구의 측량에 대해서도 그 방법과 모양을 거의 정확하게 얘기하고 있어.

우선 극으로부터 멀고 가까움을 위도라고 하는데, 땅에서 위도를 직접 잴 수는 없고, 하늘을 관측해서 알아낸다고 했어.

북극

관측자의 위치에서 수평면과 수직을 이루는 직선이
하늘과 닿은 가상의 점을 천정이라고 하고

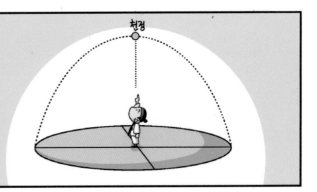

북극점의 천정인 북극성과 그 지역의 천정이 얼마나
떨어져 있는가로 위도를 아는 거야.

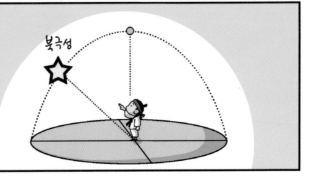

가령 러시아의 천정은 북극성과 20도 떨어져 있고, 캄보디아는
남극에서 60도 떨어져 있으니, 두 천정은 90도 차이가 있고, 거리는
2만 2500리라고 했어.

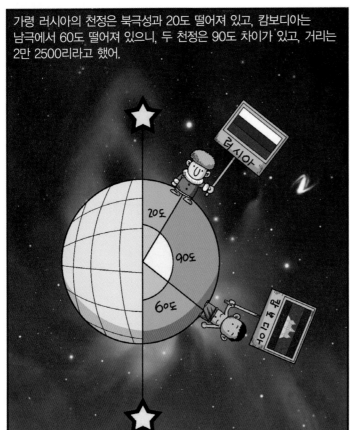

러시아 사람들은 러시아를 정기준으로
삼고

캄보디아는
우리나라
아래에 있어.

캄보디아 사람도 마찬가지로 이렇게
생각하겠지.

러시아는
우리나라
아래에 있어.

또한 지구를 세로선으로 구분하여 옆으로 멀고 가까움을 나타내는 걸 경도라고 하는데,
중국과 서양은 180도에 이르지.

중국은 우리
정기준의
반대쪽에 있지,

서양은 우리
정기준의
반대쪽에 있지,

어지러워.

도대체 어디가
정기준, 즉
올바른 기준이자
표준인 거야?

사실 하늘을 이고 땅을 밟으며 각자의 기준을 따르는 것은
모두 마찬가지니까 반대쪽이라든지, 아래쪽이라든지 하는
구분은 없고, 모두 기준인 거야.

우리 모두가
기준!

내가
기준!

기준은
여기!

여기가
기준!

기준!

Tip.
　　여기서 말하는 '정기준(正基準)'이란
올바른 기준이란 뜻이다. 각자 자기 나라를
똑바로 서 있는 기준으로 삼고, 나머지 나라들은
반대편, 아래, 거꾸로, 혹은 옆에 위치하고
있다고 표현하는 것이다. 자기 나라를 중심에
두는 것은 중국뿐만이 아니며, 결국 지구가
둥글기 때문에 절대적으로 올바른 기준은
없음을 보여준다.

절대적인 기준 같은 건 없다네!

이러한 논리에 따르자면 이제껏 중국이 세상의 중심이고 정기준이라고 여겨 왔던, 중국 중심적 세계관은 명백한 오류가 되는 것이지.

사방에 한계가 있는 네모난 세상에서나 중심이라는 게 있는 거지.

내가 세상의 중심!

그래서 지구가 둥글다는 지원설이 홍대용 사상의 중요한 요소가 된다는 거야.

하지만, 둥글다면…

쯧쯧,

정말 땅이 네모졌다면 육면체를 이룰 텐데, 강과 바다, 사람과 만물은 어느 부분에 산다고 생각하는가?

당연히 모두 윗면에 삽니다. 옆과 아랫면에서는 아래로 떨어지지 않겠습니까?

그럼 사람과 사물들처럼 작은 것도 아래로 떨어지는데, 땅처럼 크고 무거운 것은 어째서 떨어지지 않는가?

?

그러게요. 새의 깃털이나 머리카락처럼 가벼운 것까지 떨어지지 않는 것이 없는데….

당연하지!

혹시 기가 떠받쳐주고 있는 거 아닐까요?

장난해?

물 위에 뜨는 배도 가득 실으면 가라앉거늘, 기가 무슨 힘이 있다고 이 무거운 땅덩어리를 받치고 있겠는가?

자, 가만히 서 있을 때 너의 가슴이 남쪽으로 떨어지지 않고, 등이 북쪽으로 떨어지지 않으며, 왼팔이 동쪽으로 떨어지지 않고, 오른팔이 서쪽으로 떨어지지 않는 것은 무엇 때문인가?

동서남북으로 쏠리는 힘이 없기 때문입니다.

당연한 거 잖아요!

아주 총명하도다.

제가 한머리 하잖아요!

놀고 있네….

지구, 태양, 달, 별이 떠 있을 수 있는 것도 그것과 마찬가지 원리로 위 아래로 쏠리는 힘이 없기 때문이다.

태양, 달, 별을 보면 매일 어김없이 떠오르며 더 이상 올라가지도 않고 땅과 만났다고 부서지지도 않지.

둥근 접시가 땅에 떨어졌다고 생각해 봐라. 와장창 깨지지 않겠느냐?

언제나 하늘에서 온전한 형태로 운행하는 걸 보면 위, 아래 구분이 없다는 것을 딱 알 수 있거늘.

지구가 떨어지지 않는 것은 너무도 당연한 일이지.

공중부양

얍

지구에서는 왜 위, 아래 구분이 있고, 만물은 아래로 떨어집니까?

악

두 가지 이유가 있지.

자석이 쇠를 잡아당기는 것은 성질이 서로 비슷한 것끼리 끌리는 것으로 자연적인 이치이다.

불꽃이 위로 올라가는 것은 근원이 태양에 있기 때문이다.

밀물이 올라오는 것은 물이 달에 근본이 있기 때문이며,

만물이 아래로 떨어지는 것은 지구에 근본이 있기 때문이야.

지구의 둘레는 9만 리니 하루에 돌려면 그 속도가 포탄보다 빠르고, 천둥 번개보다 빠르다.

또 지구는 하루에 한 바퀴 자전을 한다.

Tip
앞서 말했듯이 18세기 조선의 과학 수준이 지금과 달라 모르는 것이 많았고, 홍대용에게 전통적인 자연관이 부분적으로 남아 있어서 실옹의 설명이 모두 옳은 것은 아니다. 실제 지구의 둘레는 약 4만 킬로미터로 9만 리(약 36,000킬로미터)보다 약간 더 길며, 자전 속도는 약 시속 600킬로미터로 자동차보다 10배 이상 빠르지만, KTX나 비행기 안에 타고 있으면 속도가 안 느껴지는 것처럼 우리는 지구와 함께 움직여서 못 느끼는 것이다. 지구에서 물체가 아래로 떨어지는 건 지구 질량에 의한 중력(만유인력) 때문이다.

아주 빠르게 자전하기 때문에 우주의 기운과 세차게 부딪쳐 공중에서 에워싸며 땅 쪽으로 모여들게 된다. 이 힘 때문에 만물이 땅 쪽으로 쏠리는 것이다.

지구에서 멀어지면 이 힘은 없다.

YAho!

땅덩어리가 매일 엄청난 속도로 돈다굽쇼?

지구가 회오리바람처럼 빠르게 자전하면 공기의 힘이 틀림없이 사나울 텐데, 어떻게 사람과 사물이 넘어지지 않을 수 있습니까?

만물이 생겨나면 각기 그것을 둘러싼 기운이 있는데, 마치 계란 속 노른자를 흰자가 감싸고 있듯이, 지구도 두꺼운 공기로 둘러싸여 있지.

흰자

노른자

공기

지구가 자전할 때 공기와 우주의 기운과 부딪치는 것이다.

두 기운이 맞닿는 부분은 아주 빠르고 거세지만 이곳 너머는 한없이 맑고 고요한 세계다.

그 안쪽은 공기가 땅을 둘러싸고 사람과 사물은 땅에 붙어 있으니 넘어질 리가 있겠느냐.

맞닿는 부분에서 바람을 일으키고 그 기운이 폭포수처럼 지표면으로 격렬하게 쏟아져 아래로 쏠리는 힘이 생긴 것인데,

그리고 하늘의 별은 지구에서 몇만 리 정도 떨어져 있는 것처럼 보이지만,

오빠! 저 별 따줘!

걱정 마. 문제 없어!

실제로는 몇 천만억 거리인지 알 수가 없다.

끄아아~ 너무 멀어~

지구의 자전도 회오리 바람처럼 빠른데,

팽~

내가 더 빨라!

크기를 가늠할 수조차 없는 하늘이 하루에 한 바퀴 도는 속도는 계산할 수도, 감히 얘기할 수도 없으니

자~ 준비되면 도세요!

하늘이 움직인다는 것은 이치에 맞지 않는 것이다.

내가 도는 게 아니라 니네가 도는 거야!

당시 서양에서 지전설이 나오긴 했지만 교황청에서 금지했기 때문에 함부로 주장할 수
없었고, 동양에 전해진 책에는 틀린 가설일 뿐이라고 소개되고 있었어.

쉿!
죽고 싶어!

지구가
도는 게
아닐까?

지전설은
우스개 소리죠.

하지만 홍대용은 비판적인
사고의 달인이었지.

정말
틀린 걸까?

흠~

이렇게 하나하나 타당성을 검토해보고
지전설이 옳다는 결론을 내릴 수
있었던 거야.

그런 고로~
지전설 승!

지전설

타당성검토

중국의 학자들도 지전설을
인정하지 않던 상황에서

淸

뭐래?

잠꼬대
하고 있네!

신경 쓰지 마.
조선 따위가…

18세기 중반에 조선의 실학자가 접할 수 있는 지식의 양과 질을 고려하면 상당히 신기하고 놀라운 일이야.

朝鮮

내가
짱이다!

그리고 정밀하고 상세한 서양에서도, 중국의 성인 공자도 모두
하늘이 도는 것이라고 한 것에 대해서는

Western world

CHINA

훨씬 대단한
사람들도 다
아니라고 하잖소?

백성들에게 이치를
알게 하기가 어려우니

관심도
없구먼요!

비나
내리게 해유!

군자는 적절한 방법을 채택하여 가르침을 베푸는 것이다.

맞춤형 학습

회전목마를 타고 주위를 보면, 내가 움직이는 것인지, 주위가 반대방향으로 도는 건지 알 수 없는 것처럼

내가 도는 거냐? 너희가 도는 거냐?

넌 원래 돌았잖아!

지구가 도는 것이나 하늘이 도는 것이나 겉보기에는 매 한 가지이니,

백성이 하늘이 돈다고 생각하더라도 해로울 것이 없고,

벌써 저녁이네,

태양은 잘도 도는구나~

하늘의 운행을 위주로 관측하여 책력을 만드는 게 편리하고, 별 탈이 없으면 이렇게 다스리는 것이 옳지 않겠는가?

아이디어

굉장히 실용적인 생각이지?

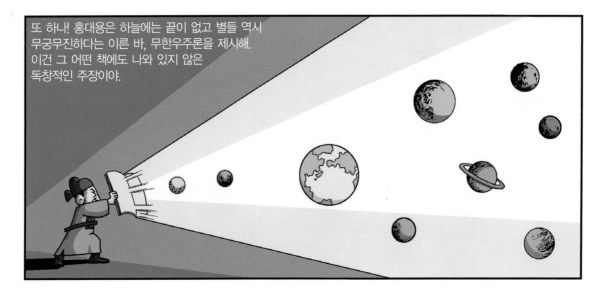

또 하나! 홍대용은 하늘에는 끝이 없고 별들 역시 무궁무진하다는 이른 바, 무한우주론을 제시해. 이건 그 어떤 책에도 나와 있지 않은 독창적인 주장이야.

헤아릴 수 없이 많은 세계가 우주에 흩어져 있어 모두 나름의 세계가 있고, 별들 세계에서 보면 지구도 또 하나의 별일 뿐인데,

잠깐 퀴즈! 지구를 찾아라!

선착순 10명 상품 I폰 주소: 출판사로!

지구를 우주의 모든 별의 중심이라고 하는 것은

내가 중심!

지구

우물 안 개구리 같은 생각이라고 분명히 밝히고 있단다.

내가 뭘?

지구에 특별한 지위를 부여한 지구중심적 우주관에서 확실히 벗어난 것을 알 수 있어.

사실 지구는 스스로 빛을 낼 수 없고 태양 주위를 도는 행성이라서 다른 별에서 보면 태양만 보일 뿐 지구는 보이지 않지만.

지구가 사라졌다!

지구가 안 보여!

이렇게 새로운 생각에 개방적이고 비판적인 태도와 다양한 관점에서 보는 과학적 탐구 방법이 창의적인 결과로 이어진다는 사실!

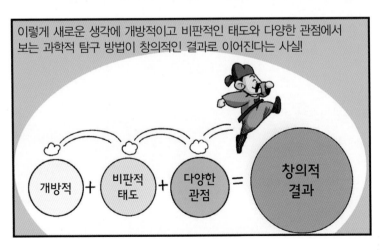

개방적 + 비판적 태도 + 다양한 관점 = 창의적 결과

삼가 말씀을 받들겠습니다.

지구 자전과 공전의 증거

지구의 자전

▲ 파리 판테온 사원의 푸코의 진자

동그란 지구가 하루에 한 바퀴씩 자전하고, 일 년에 한 바퀴씩 태양을 중심으로 공전한다는 것은 누구나 알고 있는 사실입니다. 하지만 실제로 땅 위에서는 잘 느껴지지 않아요. 그래서 받아들이는 데 그렇게 오래 걸렸나 봅니다.

지구 자전의 증거는 크게 세 가지가 있습니다. 먼저 진자의 진동면이 시계방향으로 회전하는 것입니다. 푸코라는 사람이 1851년 파리의 판테온 사원에 길이가 67m인 커다란 진자를 설치한 다음 진자의 진동면이 일정한 속도로 변하고 있다는 것을 확인했어요. 한 번 진동을 시작한 진자는 외부 힘을 받지 않는 한 처음 상태를 그대로 유지하는데, 지구가 반시계방향으로 회전하니까 진자의 진동면이 시계 방향으

중위도 지방:
조금씩 회전

북극지방:1일에
360° 회전

적도 지방:
회전하지 않음

적도

(↕는 지표면에 대한 진자의 진동면 방향)

▲ 진자의 진동면회전

로 조금씩 틀어지는 거예요. 이 진자를 푸코 진
자라고 부른답니다.

두 번째는 전향력이 발생하는 것입니다. 북
반구에서 움직이는 물체는 예상 경로보다 오른
쪽으로 휘고, 남반구에서 움직이는 물체는 왼
쪽으로 휘는 현상이 일어나는데, 이 효과를 '코
리올리 효과' 라고 부릅니다. 이때 물체의 운동
방향을 변화시킨 가상의 힘을 코리올리힘, 또
는 전향력이라고 해요. 실제 힘이 아니라 지구
가 자전하기 때문에 나타나는 현상이지요. 친
구한테 공을 던지는 정도의 작은 규모에서는
느낄 수 없어요. 물체가 서울에서 부산 정도는
이동해줘야 전향력이 나타납니다. 지구 전체를
순환하는 대기 대순환과 해류, 태풍의 이동 모
습과 방향을 전향력으로 설명할 수 있어요.

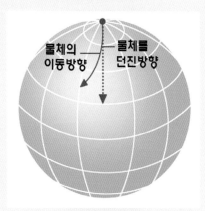
▲ 전향력

▲ 인공위성의 서편 현상

세 번째는 인공위성의 서편현상입니다. 인공위성은 같은 궤도를 따라 지구 둘레를
일정한 속도로 돌고 있는데, 지구의 관측자가 보면 인공위성이 자꾸 서쪽으로 이동하는
것처럼 보여요. 마치 회전목마를 타고 밖에 가만히 서 있는 친구를 보
면, 자꾸 뒤로 가는 것처럼 느껴지는 것과 같은 원리입니다. 지구가
자전하기 때문에 나타나는 현상으로 자전의 증거예요.

지구의 공전

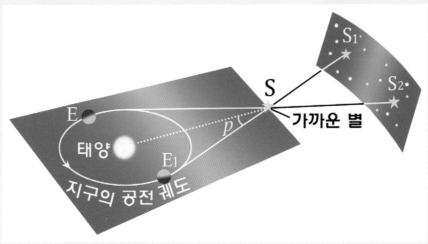

▲ 지구 공전의 가장 확실한 증거인 연주시차

지구가 공전하는 증거에는 무엇이 있을까요? 먼저 티코 브라헤가 그토록 찾으려고 했던 연주시차가 있습니다. 비교적 가까이 있는 별이 멀리 있는 별을 배경으로 위치가 달라져 보이는 현상이에요. 실제로 느껴볼 수 있는데, 연필을 들고 팔을 쭉 뻗어 눈높이 가운데에 두고 한 쪽 눈을 가리고 보면 오른쪽 눈으로 볼 때와 왼쪽 눈으로 볼 때, 연필의 뒤 배경이 달라집니다. 코가 태양이라고 생각하고 오른쪽 눈이 여름, 왼쪽 눈이 겨울일 때 지구의 위치인 것이지요. 지구가 공전을 해야만 나타나는 현상입니다. 1838년 베셀이 최초로 관측한 연주시차는 백조자리 61번 별이었는데, 그 값은 0.29″였습니다. 각도기의 가장 작은 눈금인 1°를 3600등분한 것이 1″이니, 얼마나 작은 값인지 짐작이 되나요? 그래서 티코가 발견하지 못했던 것입니다.

두 번째로 광행차가 있습니다. 별의 위치가 실제와 다른 지점에 있는 것처럼 보이는 것인데,

별빛이 실제의 방향보다 약간 앞쪽에서 오는 것처럼 보이기 때문에 망원경을 기울여야 별을 관측할 수 있어요. 이 때 별빛의 방향이 기울어지는 각도를 광행차라고 합니다. 비오는 날 빠른 걸음으로 걸어가면 비가 비스듬하게 들이쳐 우산을 약간 앞쪽으로 기울여야 하는 것과 같은 원리랍니다. 각도를 측정하면 지구의 공전 속도를 알 수 있어

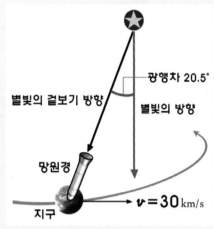

▲ 광행차

요. 1727년 영국의 천문학자 브래들리가 지구 공전 때문에 나타나는 현상이라는 것을 증명했어요.

　세 번째로 별빛 스펙트럼의 변화입니다. 별빛을 분광기로 관찰하면 고유한 파장의 빛을 관측할 수 있는데, 이 파장의 길이가 1년을 주기로 길어졌다 짧아졌다 해요. 지구가 별에 다가가면 파장이 조금 짧아지고, 지구가 별에서 멀어질 때는 조금 길어진 파장이 나타납니다. 수십 광년 떨어진 많은 별들이 1년을 주기로 왔다 갔다 할 리가 없으니 지구의 공전 증거가 되겠죠?

제6장

지구는 우주의 중심이 아니다

관측을 제대로 해본 것도 아닌데, 외부 은하의 존재를 주장하다니 통찰력이 대단하지.

밤하늘을 가로지르는 이 밝은 띠를 서양에서는

우유가 흐르는 길이라고 해서 'Milky way' 라고 부르고

동양에서는 은빛 강이란 뜻으로 '은하' 라고 불렀지.

갈릴레이는 망원경을 사용해서 은하수가 구름이나 강이 아니라 수없이 많은 작은 별로 이루어져 있다는 사실을 발견했어.

역시 우유가 아니었어….

은하는 약 2천억 개의 별이 모여 있는 별무리야.

태양이 속해 있는 은하를 우리 은하라고 해. 대부분의 별들이 납작한 원반형으로 모여 있어서 은하수가 띠로 보이는 것이지. 가운데가 불룩한 막대 모양의 은하핵이 있고, 거대한 나선팔이 감싸는 모양을 이루고 있어.

홍대용은 이 사실을 서양에서 전해 온 책을 통해 비교적 정확히 알고 있었지.

택배

from western world

흠….

밤하늘에 보이는 커다란 고리 안에는 별들이 매우 많고, 태양과 지구는 그 중 하나일 뿐이라고 했어.

지구도 저 별들과 같아….

더 나아가 "지구에서 보이는 것 바깥에 은하계와 같은 것이 몇억 개나 되는지 알지 못한다."고 했어.

진짜요?

저런 별 무리가 셀 수 없이 많지.

홍대용과 비슷한 시기에 독일의 철학자 칸트는

망원경으로 보았을 때, 별들 사이에 있는 뿌연 천체들이 각각 수십억 개의 별을 담고 있는 외부 은하라고 믿었는데,

저것들은 모두 별이오.

대부분의 사람들은 우리 은하 안에 있는 먼지와 기체 구름이라는 가설을 선호했지.

대은 철학이나 하쇼.

저건 그냥 먼지일 뿐이오.

1920년대 미국의 천문학자 에드윈 허블이 뿌연 천체까지의 거리를 측정하는 데 성공하면서 외부 은하의 존재가 알려진 거야.

홍대용은 관측을 제대로 해본 것도 아닌데, 외부 은하의 존재를 주장하다니 통찰력이 대단하지.

안 봐도 비디오지.

확고하게 일관된 세계관을 정립했기 때문에 유추할 수 있었을 거야.

일관된 세계관

의산문답

바로 "나의 작은 눈에 의지해 은하계가 으뜸가는 큰 세계라고 쉽게 단정해서는 안 된다."는 믿음이지!

그는 세계를 4가지 성질로 나누었어.

밝은 세계, 어두운 세계,

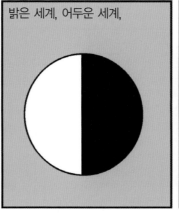

따뜻한 세계, 차가운 세계가 그것이지.

별들은 이 네 가지 성질을 지니는데,

예를 들어 태양은 밝으면서 따뜻한 것이고

지구와 달은 어두우면서 찬 것이야. 사실 지구와 달은 별이 아니지만 이 당시는 지구와 달도 별이라고 불렀다는 것 얘기했지?

지구와 달이 어둡고 차면서도 밝고 따뜻해진 것은 태양의 영향을 받기 때문이라고 했어.

아… 따뜻해!

난방비 내놔!

Tip.
에드윈 허블(Edwin P. Hubble, 1889~1953) 미국의 천문학자로 외부은하 연구의 선구자. 윌슨 산 천문대에서 당시 세계에서 가장 큰 100인치 망원경을 사용하여 은하계 성운을 관찰하였다.

중국 송나라 때 학자 소요부가 129,600년을 주기로 천지가 열렸다 닫혔다고 주장한 것에 대해

어이없는 발상이다.

사물에 형체와 바탕이 있는 것은 반드시 붕괴해서 기로 돌아가니

지구에도 생멸이 있는 것은 분명하지만

태어난날 : 약 46억년 전

사망날 : 언제인지 모르지만 언젠가 있음

하늘은 그 기운이 끝없이 넓게 퍼져 있고 형체가 없으니

어떤 이유로 열리고 닫힌다고 하는 것은 짧은 생각이라고 반박했어.

올라 갑니다.

그 주기에 대해서도, 지구가 태어나게 된 것만 따져도 몇천만억 년이나 되는지 알 수가 없고

댁은 언제 태어났수?

그게… 너무 오래 돼서… 기억이…

그럼 이제 주요 천체의 세계를 살펴보자.

앞서 간 시간, 뒤에 올 시간을 생각해보면 그야말로 끝이 없는 거지.

홍대용은, 태양은 지구보다 몇 배나 크고, 그 바탕이 불이라서 성질이 뜨겁고, 붉은 색이기 때문에 밝게 빛난다고 했어.

뜨거워.

사실 태양은 노란색 별인데,

한낮에는 태양을 제대로 볼 수 없으니까,

눈부셔.

새벽과 저녁 때 보이는 태양의 색을 보고 붉다고 했던 것 같아.

붉은색 이구나….

이곳은 낮과 밤, 여름과 겨울의 구분이 없는 곳이지.

이렇게 뜨거운데 무슨 밤, 낮과 계절이 있겠어?

재밌는 것은 태양에 생물이 산다고 얘기한 거야.

저기에도 생물이 있지.

진짜요?

이곳에서 태어난 것은 순수한 불의 품성을 지녀 몸이 밝고

성질이 강렬하며

지혜가 빛나고 날아오르는 기운을 가졌으며

원래 불에서 살아서 뜨거움을 못 느낀다고 주장했어.

반면 달은 지구보다 작아 1/30에 해당하고, 얼음이라 차가운 성질을 가지며

내가 너무 작잖아!

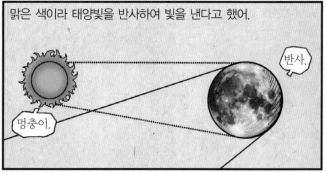

맑은 색이라 태양빛을 반사하여 빛을 낸다고 했어.

반사.

멍충이.

그래서 태양에서 멀어지면 얼어서 거울처럼 텅 비고 밝으며

태양에 가까워지면 녹아서 넓고 큰 바다가 된다고 했는데,

실제로 달의 지름은 지구 지름의 1/4 정도이고, 얼음은 없어.

암석 조각과 모래로 덮여 있지.

뭐야? 그냥 황무지잖아!

그래도 달이 빛나는 이유는 정확히 알고 있었던 것이지.

그래도 반사는 돼!

마찬가지로 달에도 생명체가 있다고 주장했는데

저기에도 누가 살아.

순수한 얼음의 품성을 지녀 그 형체가 맑고 깨끗하며, 지혜는 밝고 기운은 가벼우며 얼음에서 살아서 추위를 모른다고 설명해.

의산문답

또 달에도 지구와 마찬가지로 낮과 밤, 여름과 겨울이 있다고 했어.

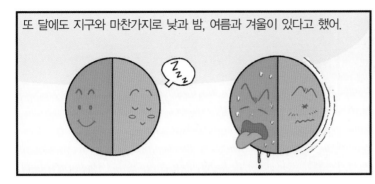

마지막으로 지구는

주인공
등장!

태양, 달, 다섯 행성의 찌꺼기로 그 바탕은 얼음과 흙이라
성질이 차고

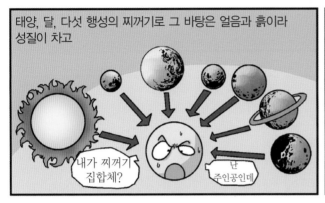

내가 찌꺼기
집합체?

난
주인공인데

색깔이 어둡고 탁해서 태양 빛을 받아도 적게
빛난다고 했어.

그러니 이 별에서 태어난 것은 난잡하고 성질이 거칠며, 어리석고,
기운은 둔하고 막혀 있다고 하지.

난잡

난폭

닭X가리

미련

왜 우리만 안 좋게
말해!

이처럼 홍대용은 땅의 성질이 그곳에 의존하여 생명을 영위하는 모든
존재의 성질을 결정한다고 보았어.

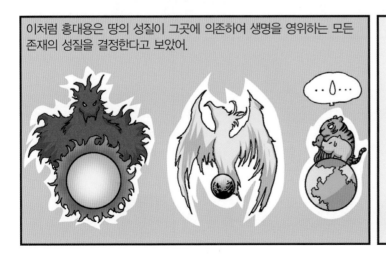

…●…

Tip
초승달이나 그믐달일 때 달의
나머지 부분이 불그스름한
진한 회색으로 보이는 현상을
지구조(地球照)라고 한다.
지구가 반사시킨 태양빛을 받아
달의 나머지 부분이 희미하게
빛나는 것이다.

동양의 전통적인 사고방식에서 땅은 그 자체가 생명성을 함유한 기로 가득 차 끊임없이 활동하는 살아 있는 존재야.

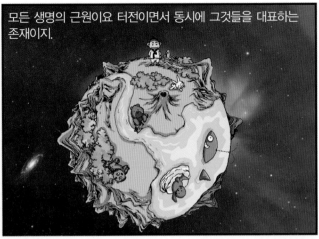

모든 생명의 근원이요 터전이면서 동시에 그것들을 대표하는 존재이지.

홍대용은 서양으로부터 객관적인 관점을 수용했지만

태양은 태양이고, 달은 달이여.

다른 한편으로는 동양의 생명주의적 전통을 계승했어.

태양이나 달이나 발 디딜 형체는 있으니 당연히 생명이 있어야지!

이런 질문하면 또 혼날 거 같은데…

태양과 달의 생명체가 서로 왕래할 수 있습니까?

이 무슨 바보 같은 질문인가?

물고기가 물 밖으로 나오거나 개가 물속으로 들어가면 숨이 막혀 죽거늘

거기 살 만해?

아니… 난 물개가 아니잖아.

신체와 기운이 물과 불이 다른 것처럼 완전히 다른데 어찌 같이 있을 수 있는가?

우리 결혼합시다!

시비 거는 거냐?

비로소 우주에 그토록 많은 별이 있다는 것을 알게 되었으니, 신통한 힘을 빌려 저 하늘에 올라 두루 돌아다니고 싶기 때문입니다.

달과 태양도 못 가니 끝내 이 혼탁한 지구에서 하찮은 삶을 면할 수 없겠군요.

방법이 아예 없는 건 아니지.

신령으로 변하여 별들을 두루 돌아다닐 수 있다고 하든데.

애벌레도 허물을 벗고 나비로 변하잖아.

10년간 도교의 호흡법으로 내공을 쌓으면

그런 술법이 진짜 있다면 지금이라도 당장!

아니 그럼 왜 그런 얘길 하셔서… 혹하잖아요!

이 당시 조선의 성리학자들은 불교, 도교(노장사상), 도참사상, 양명학 등 다른 사상을 이단으로 여기고 엄격히 배척했어.

홍대용은 이단에 대해 어느 정도 관용적이어서

"공자는 노자를 스승으로 삼았다고도 했다.

왕수인의 학문(양명학)도 쓸모없는 세속적인 유학보다 나을 수 있다."라고 말했어.

즉, 학문적 뿌리가 성리학에 있었던 터라 전통적인 이단론을 유지하긴 했지만

철저히 그 이치를 따져 정말 이로운 것은 조심스럽게 수용하는 태도를 보이지.

의산문답

이 대목에서도 "도교의 호흡법과 술법이 실제로 있고 그것을 한 사람도 있다."고 하면서 도교의 신선술에 대해 인정하는 듯하지만

이치를 살피지 않고 헛된 욕심에 빠지는 것을 엄히 꾸짖고 있어.

이걸로 돈 좀 벌어볼까?

사람의 욕심은 끝이 없지. 맛있는 음식, 화려한 보물, 높은 지위와 권력, 기이한 볼거리 등 모든 사람이 선망하는 것을 누리고 있어도

신선이 되면 뭇별들을 두루 돌아다니며 상쾌함을 누릴 수 있다는 말에 또 부러워하고 욕심을 내는 거야.

신선이 뭔지 정확히 알지도 못하면서 상상 속에 빠졌다고 꾸짖어.

뭔지나 알고 좋아하는 거냐?

아무것도 안 하고, 아무 변화도 없다는 뜻이지.

도교에서 말하는 신선술의 핵심은 무위야.

無 爲
없을 무   할 위

10년 동안 호흡하고 마음을 닦아서 평안하고 담백하며 청정하고 강직한 마음이 되는 것이지.

그런 사람이 진기한 것을 보러 다니겠어?

진기한 거?

정말 진기해?

저런 마음 자체가 탐욕이고, 득도했던 몸이 타락하는 길인데.

탐욕

그러니 세속적인 입장에서 보면 즐거운 일이 하나도 없는 거야.

이 산도 산이고 저 산도 산인데 뭐가 그리 즐거우리오….

잠깐이라도 이 상태를 경험하게 해주면 적막함과 단순함에 괴로워하며 빨리 벗어나고 싶어 할 걸?

ㅇㅇㅇ…

다리 쥐 나려고 그래….

그런데 거짓된 술법으로 신선인 척하면서

내가 좀전에 미래를 갔다왔는데 조만간 세상이 멸망해!

세상 사람들을 농락하는 자가 있기 때문에, 오해가 생긴 것이지.

날 따르면 나와 같이 구름 위로 올라가 화를 면하게 해주리… 어때? 날 믿습니까?

믿으면 돈들 내!

믿습니다!

믿습니다! 믿고 말고요!

전 재산을 내지요.

의산문답

진짜 신선이라면 꾀를 써서 세상을 놀라게 하거나, 세상에 모습을 드러내 죄를 지을 리가 없지.

난 세속에 관심없네.

그렇다면 도교에서 말하는 신선이라는 것이 정말 이상적인 목표가 될 수 있는가?

이 장 초반에 형체와 바탕이 있는 사물은 반드시 붕괴되어 기로 돌아간다고 했던 얘기 기억하니?

마찬가지야. 인간이나 신선이나 형체와 바탕이 있으니 결국 사라져 기로 돌아가게 마련이야.

신선이라고 해도 길어야 만년이라고 하는데,

10000

아무 변화 없이 100년을 사나, 10000년을 사나 차이가 없지.

100년산 신선 →

10000년산 신선

그러니 사람 소원의 근본을 캐보면 사실은

당신의 소원은?

자기를 이롭게 하기 위한 것이지만

대통령이 되고 싶어요.

연예인이 되고 싶어요.

공부 잘하고 싶어요.

부자가 되고 싶어요.

키 크고 싶어요.

끝내 이로움은 없는 거야.

그래서 홍대용은 도교에서 말하는 신선의 경지는 교묘한 것 같으면서도 사실은 보잘것없고, 어리석은 생각이라고 말하지.

어차피 언젠가 다 사라지는 거 만 년을 산들 무슨 소용이란 말인가?

결국 도교는 좋은 가르침이 약간 있긴 하지만 자칫 백성들을 현혹시킬 수 있는 이단으로 결론을 짓고 있어.

그래도 무조건 '아니야'라고 하는 태도를 지양하고, 이렇게 무엇이든 논리적으로 설명했지.

신선 → 변화없이 만 년 → 언젠간 소멸 → 무슨 소용? 이해되지?

마지막 질문이오!

유독 지구는 자전만 하고, 공전을 할 수 없는 이유는 무엇입니까?

모든 별들이 다 자전하면서 또 다른 별들의 주위를 돌 수 있는데,

나 왕따냐?

홍대용도 쓰다가 이 문제가 문득 생각났나 봐.

으잉?

앞 뒤 맥락과 좀 생뚱맞게 잠깐 끼어들어가 있거든.

그…그게…

신선 얘기 하다가 갑자기 다시 지구로…?

아마도 이건 이전에 김석문이 이미 지구의 자전과 공전을 말했는데,

지구는 자전한다 공전도 한다

자신은 공전을 부정하는 것에 대해 변론을 하고자 넣은 것 같아.

변론 좀…

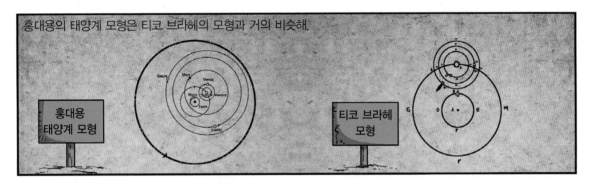

홍대용의 태양계 모형은 티코 브라헤의 모형과 거의 비슷해.

홍대용 태양계 모형

티코 브라헤 모형

그는 주로 책을 통해 서양 과학을 수용했는데, 그 당시 중국에 소개된 천문학 책이 주로 티코 브라헤의 우주론을 담고 있었으니까.

티코 브라헤 우주론

흠…

티코 브라헤는 지구의 자전과 공전을 부정했기 때문에

위의 내 모형을 보면 알아.

지구가 도느냐 아니냐에 목숨이 왔다 갔다 하던 선교사들이 마음 놓고 전할 수 있었던 것이 아닐까?

태양, 달과 육안으로 관측이 가능한 수성, 금성, 화성, 목성, 토성을 일컬어 '칠정' 이라고 불러.

홍대용은 이 칠정의 몸체가 수레바퀴처럼 자전하며

방아를 돌리는 당나귀처럼 주위를 돌며 둘러싸고 있다고 말해. 이게 바로 공전이야.

다섯 행성은 태양을 중심으로 돌고, 태양과 달은 지구를 중심으로 돈다고 하면서 지구를 태양계의 중심에 두고 있지.

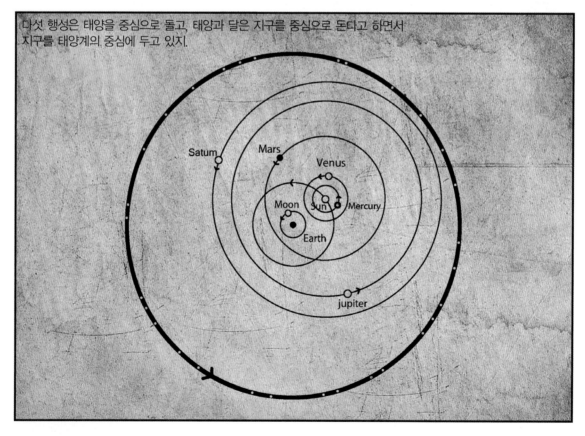

왜 우주의 중심도 아닌데,
지구만 공전을 못할까?

나도 돌고
싶다….

홍대용은 별의 성질에 따라 태양, 달, 별처럼
가볍고 빠른 것은 자전을 하면서 공전을
할 수 있다고 했어.

그러니까
우리처럼
다이어트를 해!

태양과 달과 별은 불이나
물이니까 가볍다는 거야.

통

통

지구는 물과 흙이니까 지극히 무겁고
느려서 자전만 할 수 있는 거야.

진흙 덩어리라
너무 무거워…

가벼운 별의 생명체는 텅 비고 자유롭게 움직이며, 무거운 별의
생명체는 속이 차 있고 굼뜨다는 얘기를 덧붙이지.

홍대용이 상상한 외계인은 어떻게 생겼을지
문득 궁금해져.

그런데 왜 자꾸 지구의 본성을 부정적으로 규정하고 있을까?

찌꺼기
집합체

둔하고…

막혀 있고…

멍청한
생물들…

다 이유가
있지~. 암~.

지구의 위성, 달

달의 특징

　달은 지구의 하나뿐인 위성으로 인간 생활에 많은 영향을 주었습니다. 사람들은 달의 모양이 바뀌는 것을 기준으로 음력 한 달을 세었고, 밀물과 썰물에 맞춰 고기를 잡으러 나가고, 조개를 캐먹었지요. 변화무쌍한 달 덕분에 재미있는 이야기를 많이 만들 수 있어서 밤에도 심심하지 않았어요.

▲ 달

　달의 반지름은 지구의 1/4 정도이고, 무게는 지구의 1/81정도입니다. 지구를 한 바퀴 도는 공전주기는 약 27일이 걸리는데, 제자리에서 한 바퀴 도는 자전주기도 같아서 지구에서는 한 쪽 면만 볼 수 있어요. 달의 뒷면을 처음으로 본 것은 1959년 구소련의 달 탐사선 루나 3호가 찍은 사진을 통해서였답니다. 달의 표면은 얼룩덜룩합니다. 어두운 부분을 바다, 밝은 부분을 육지라고 부르는데 실제로 물은 없지만 처음에 갈릴레이가 바다라고 불렀던 것이 습관처럼 남았어요.

　태양계 행성과 위성이 만들어질 당시에 수많은 운석 충돌 시기가 있었는데, 지구는 46억 년이란 시간 동안 대기와 물의 침식 작용과 판구조 운동으로 자잘한 크레이터의 흔적들이 대부분 사라졌지만 달은 대기가 없기 때문에 운석구덩이들이 그대로 남아 있어요. 지금도 지구에 떨어지는 운석 중 대부분은 지구 대기를 통과하면서 마찰 때문에 녹아버리는데, 달에 떨어지는 것은 그대로 지표면에 부딪히지요. 달의 육지에는 운석구덩이들이 아주 많이 있어요. 반면 바다에는 거의 없는데, 그 이유는 달의 생성 초기에는 지구처럼 내부가 뜨거워서 마그마가 있었는데, 그게 분출해서 낮은 지대의 표면을 뒤덮었기 때문입니다. 달의 뒷면은 운석구덩이로 가득한 육지가 대부분입니다.

달의 형성과 위상 변화

달이 어떻게 만들어졌는지는 아직도 수수께끼입니다. 하지만 가장 유력한 가설은 '대충돌설'이지요. 태양 주위를 돌던 미행성들의 충돌과 융합으로 지구가 만들어졌는데, 막판에 화성 만한 원시행성이 지구와 부딪히는 대충돌이 일어나면서 부서진 조각들이 뭉쳐 달이 되었다는 거예요. 충돌 후 약 1년 만

▲ 달의 위치에 따른 위상 변화

에 달이 완성되었습니다. 이 가설은 달과 지구의 물질 조성이 비슷하고, 달은 지구보다 철의 양이 적다는 것 등 여러 가지 사실을 잘 설명해주고 있답니다.

한편 달은 스스로 빛을 내지 못하지만 태양빛을 반사해서 밤하늘을 밝혀줍니다. 이때 태양, 지구, 달의 상대적인 위치에 따라 달의 모양이 변하지요.

제7장 하늘의 운행으로 길흉화복을 점치다니!

옛날부터 하늘과 인간사회는 서로 영향을 주고 받는다고 생각했어.

서양

화성과 목성이 일직선에 있으니 재앙이 닥칠 것이다.

동양

나라가 망할 징조다!

으아~ 달이 해를 가렸다!

이러한 태도를 재이론(災異論)이라고 해. 재앙 재, 다를 이. 평소와는 다른 재앙이 나타난다는 뜻이야.

천체 현상과 기상의 변화 등 자연의 변이가 사회 현실의 재양을 상징하거나 예고하는 것이라고 파악하는 거야.

재이론은 중국의 한나라 때 유학의 한 분야로 체계화되었어.

漢

유학

재이론

조선 시대 우리나라에도 들어와 유학자들에게 큰 영향을 주었지.

예를 들어 율곡 이이가 쓴 《천도책(天道策)》은 천문에 관한 책인데, 상당 부분이 재이론에 근거를 둔 이야기들이야.

군주의 마음이 발라 천지의 기가 순조롭다.

홍대용은 이런 사고방식을 철저히 비판했어.

대표적인 예로 별자리에 대한 잘못된 생각부터 뜯어고치려고 했어.

다시 쓰는 별자리

북쪽 하늘에서 일 년 내내 볼 수 있는 국자모양의 별자리가 뭐지?

맞아! 북두칠성이야.

지금은 큰곰자리의 꼬리 부분이지만, 우리 조상들은 인간의 수명을 관장하는 별자리로 여겼대.

전 얼마나 살까요?

100년만 더 살게…

하지만 이 7개의 별은 전혀 상관이 없어. 지구에서 볼 때 같은 방향에 있는 별들이 우연히 국자 모양을 이룬 것뿐이지.

실제로는 제 각각의 별이야.

옆에서 보니 7개의 별이 전혀 다른 모습을 만들고 있지?

홍대용은 저 별들에서 태양, 달, 지구를 본다면, 이들이 한꺼번에 보일 테니 이걸 하나로 묶어 '삼성' 이란 별자리로 부를 수도 있다고 했어.

북두칠성

지금도 별자리를 이루고 있는 별들은 모두 가까이에 모여 있는 것이라고 생각하는 사람이 많은데 말이야.

그런 거 아녔어…?

별자리는 그저 천문학자들이 책력을 추산하여 천문을 관측하고 달력을 만들 때 천구를 일정하게 나눈 것이고,

하늘의 움직임을 해석하는 역법가들이 별들을 구분하기 위해 이름을 지은 것뿐이라고 했어.

너넨 전갈자리라고 부를게!

너넨 목동자리 너넨 왕관자리

이름을 정해야 내가 편하지.

그런데 점술가들이 부풀리고 이치에 맞지도 않는 걸 억지로 갖다 붙여서

화성이 빛나고 금성이 사라진다.

저것은…?

속세의 일을 관련시키고, 무기로 삼은 것이야.

돈을 가져오면 하늘의 말씀을 알려주지!

돈 가져와!

그 중에서도 거짓됨과 지리멸렬함이 극에 달한 것은! 중국의 땅을 하늘의 이십팔수에 배당하여 나눈 것이다.

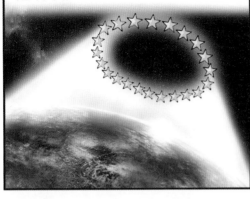

이십팔수(二十八宿)란 28개의 별자리란 뜻으로 동양의 별자리 체계야.

우리가 지금 쓰고 있는 카시오페이아자리, 쌍둥이자리, 사수자리 같은 별자리는 모두 서양에서 들어온 것이란다.

반면에 동양에는 동서남북을 지키는 상상의 동물이 있는데, 그 동물의 몸을 이루는 7개의 별을 중심으로 그 주위의 별들을 묶어 총 28개의 별자리를 만든 거야.

북
동 서
남

예를 들어 심(心)은 청룡의 심장을 의미하는 별이고, 주변 별들과 함께 심수(心宿)라는 별자리가 되는 거야.

무슨 말인지 어렵지?

다음 페이지에서 보다 쉽게 설명할 테니 넘어가자고!

GO!

각 동물의 몸을 이루는
별들의 명칭과

서방(백호)

규(奎) 꼬리
묘(昴) 몸
루(婁) 몸
위(胃) 몸
필(畢) 몸
자(觜) 머리털
삼(參) 앞발

동방(청룡)

방(房) 배
저(氐) 가슴
각(角) 뿔
심(心) 심장
항(亢) 목
미(尾) 꼬리
기(箕) 항문

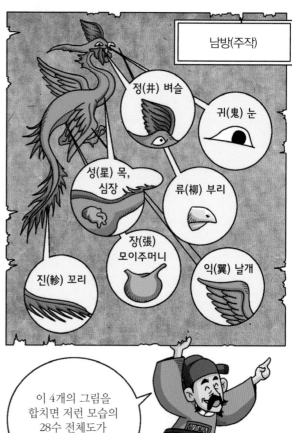

남방(주작)

정(井) 벼슬
귀(鬼) 눈
성(星) 목, 심장
류(柳) 부리
장(張) 모이주머니
진(軫) 꼬리
익(翼) 날개

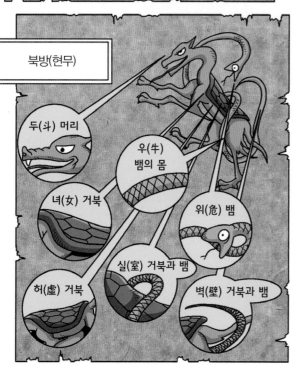

북방(현무)

두(斗) 머리
우(牛) 뱀의 몸
녀(女) 거북
위(危) 뱀
심(心) 심장
실(室) 거북과 뱀
허(虛) 거북
벽(壁) 거북과 뱀

이 4개의 그림을
합치면 저런 모습의
28수 전체도가
완성되는 거지.

138   의산문답

28수 천체도

우 여 허 위 실
두 벽
기 규
미 루
심 위
방 묘
저 필
항 자
각 삼
진 정
익 장 성 유 귀

이 28수를 바탕으로
중국 땅을 나누어
하나씩 대응시킨 이론을
'분야*설(分野說)'
이라고 해.

예를 들어
이렇게 해석하는
것이지.

어라?
화성이 우리나라
구역으로
들어왔어.

그렇다면
오늘 밤 기습이
있을 거란
얘기잖아!

봉화를
올려라~!

적군 진영

중국

* 분야(分野) - '땅을 나눈다'는 뜻.

하늘의 운행으로 길흉화복을 점치다니!　139

지구 전체를 나누면 몰라도

한쪽에 치우친 중국 땅을 무리하게 대응시켜 억지로 나누고 합치며 길흉을 엿보는 것은 하도 망령되어 말할 것도 못 된다는 거야.

하늘이 다 너희 거냐?

지구조차도 우주 전체로 보면 작은 티끌에 불과하고,

지구

중국은 지구에서도 십 몇 분의 일에 지나지 않으니까 말이야.

무한한 우주

티끌만한 지구

거기에 십 몇 분의 일 중국

두이 부치이 (미안합니다)

하지만 분야설은 이미 오랫동안 널리 전해왔고,

이따금 명백한 징조에 맞춰 비가 오거나

진짜 화성이 그쪽에 있을 때도 있는데

모든 천문 징조가 다 믿을 만한 것이 못 된다는 것입니까?

여러 사람이 하는 말은 쇠도 녹이고, 비방이 쌓이면 뼈도 녹인다고 했다.

뭔 말이야?

기술은 잘못된 것이어도, 많은 사람이 지극히 믿고 의지하면 간혹 하늘도 이기기 때문이다.

그건 또 뭔 말이야?

잘 들어! 28수가 전하는 옛말은

그걸 빌려 민심을 전한 것이지. 별이 정말 그런 힘을 가지고 있다고 말한 것이 아니다.

제발 비를…

희망을 줘야겠군….

필수가 나타났으니 비가 올 것입니다!

와아~

또한 붉은색 때문에 재화나 전쟁을 의미했던 화성의 움직임도

화성이 멈췄어!

이제 재앙이 닥칠 거야!

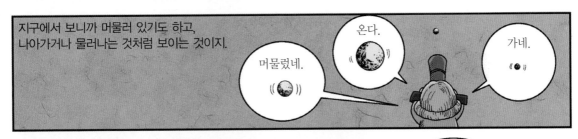

지구에서 보니까 머물러 있기도 하고, 나아가거나 물러나는 것처럼 보이는 것이지.

머물렀네.

온다.

가네.

실제 화성은 태양 주위를 반시계 방향으로 공전하고 있을 뿐인 거야.

이제 달에 대해 살펴볼까?

달은 어둡고 밝은 곳이 있어.

엄마…

어두운 부분을 바다라고 하고, 밝은 부분을 육지라고 하지.
실제로 물이 있는 것은 아니지만.

여긴 바다.

여긴 육지.

홍대용은 달의 음영이 물과 흙 때문이라면, 하루 동안 하늘을 움직이면서 모양이 변해야 할 텐데,

하지만 실제 달이 운행할 때 그 모습은
한결같다고 했어.

그러니까 달은
맑은 얼음이야!

사실 지구가 자전하기 때문에 달이 뜨고 지는 것이라.
어떤 재료로 되어 있던지 표면 모습은 변함이 없어.

달
진다.

달
떴다.

하지만 홍대용은 지구와 달이 다른 성질의 물질로 된 걸
말해주고 싶었던 것 같아.

얼음 덩어리는
뒤집으나 똑바로나
같은 얼음일 뿐이지.

또 초승달과 그믐달도 진짜 달이 작아졌다 커졌다 하는 것이
아니라

으악! 누가
달을 먹었지!

내… 내가
아냐!

항상 동그란 전체 모습이 갖춰져 있고 단지
빛나는 부분만 작아진 것이라고 했어.
상당히 정확한 설명이지.

그림자일
뿐이네.

휴우~

하지만 검은 부분이 지구의 그림자라고 한 잘못된 설명도 있어.

아…아냐?

Tip
달의 위상이 변하는 이유는 달이
지구를 중심으로 공전하면서
태양-지구-달의 상대적인 위치가
변하기 때문에 햇빛을 반사하는
부분이 달리 보이는 것이다.

그런데 하늘에
두 개의 극이 있다는 건
무슨 말인가요?

밤하늘의 별을
몇 시간 관찰해보면
북쪽 하늘에 움직이지
않는 점이 있지?

바로 북극성
(Polaris)이야!

북극성이 있는 방향을
하늘의 북극이라고 해.

실옹은 하늘에 남극과 북극, 이렇게 두 개의 극이 있다고 말해.

북극

남극

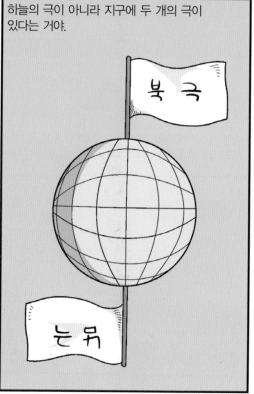

하늘의 극이 아니라 지구에 두 개의 극이
있다는 거야.

북극

남극

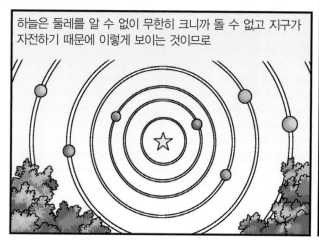

하늘은 둘레를 알 수 없이 무한히 크니까 돌 수 없고 지구가
자전하기 때문에 이렇게 보이는 것이므로

또한 실옹은 별자리와 별들이 각자 나름대로 속도와 방향으로 공전하고 움직이고 있어서 '세차론(歲差論)'이 나온 것이라고 해.

세차론?

세차론이란 매년 같은 절기에 해의 위치를 관측해보면

오늘 해의 위치는 저기…

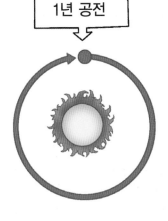

1년 공전

정확히 작년에 있던 위치에 있지 않고 하루 이틀 정도 더 지나야 하는 차이가 생기는 것이지.

으악! 작년에 있던 곳이 아니잖아!

지구는 세차 운동을 해. 지구의 자전축이 서서히 변하는 거야.

지구의 세차 운동: 회전하는 팽이처럼 지구의 자전축이 서서히 이동하며 원추형을 그린다. 23,000년 주기

11500년 전

현재

홍대용이 살던 당시에는 잘 몰랐던 내용이야.

지…진짜 지구가 저렇게 생긴 거야?

Tip
세차 운동 때문에 지구의 극이 움직인다. 지금 현재는 북극이 북극성을 가리키지만 약 12000년 후에는 거문고 자리의 베가(직녀성)를 향하기 때문에 베가를 중심으로 다른 모든 별들이 하루 한 바퀴 도는 현상이 관찰될 것이다.

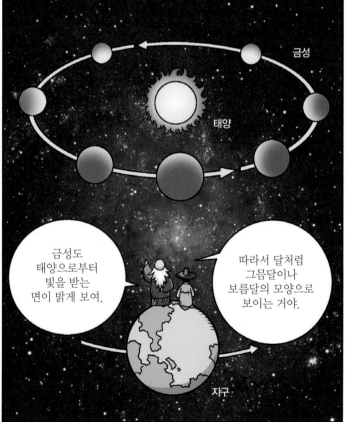

의산문답

하늘에서 일어나는 다양한 현상 중 가장 극적인 현상은 뭐가 있을까?

정답!

일식과 월식!

맞아. 태양이 까맣게 가려지는 모습은 매우 특별한 현상이거든.

아이고, 심장 떨려….

직접 쳐다볼 수도 없는 강렬한 태양이 까맣게 가려지는 모습은 요즘도 특별한 현상이지.

일식 쉽게 관측하는 방법

부분일식이라도 눈이 부셔 직접 못 보겠어.

종이에 동그란 구멍을 뚫는다

바닥엔 그림자를 확실히 볼 수 있는 흰동이를 깐다

태양이 비추는 방향으로 구멍난 종이를 든다

바닥 흰동이에 확연한 일식 모양을 볼 수 있다

일식은 음이 양을 막는 것이고,

으흐흐… 이제 음의 세상이다.

월식은 양이 음을 막는 것이라는데,

으악

안 돼!

진짜 잘 다스려지는 시대에는 일식이나 월식이 안 일어납니까?

음양설에 얽매여 하늘의 이치를 살피지 않는 것은 옛 선비의 잘못이다.

5장을 다시 봐!

빡

켁

태양, 달, 지구가 지극히 자연스러운 법칙에 의해 일정하게 움직이다가 식이 일어나는 위치에 오면 나타나는 현상일 뿐 지구의 어지러움과는 관련이 없다.

이처럼 자연을 객관적으로 바라보고

별들이 저렇게 움직인다는 건…

천문을 이용해 사람들을 현혹시키는 재이론을

이제 곧 재앙이 닥칠 것이다!

강력히 비판하던 홍대용도 몇몇 부분에서는 전통적 관념을 꺼내는 한계를 보여주고 있어.

저런 어처구니 없는…

내가?

재해의 징조인 유성과

전쟁의 조짐으로 여기던 혜성의 출현이지.

홍대용은 유성과 혜성을 다른 별과 마찬가지로 기(氣)가 뭉친 것으로,

저건 기가 뭉쳐서 생긴 것들이야.

제가 안마할까요?

하늘에서 엉겨 붙어 이루어지는 것도 있고

별들이 서로 운동하고 변화하면서 기운이 변해서 이뤄지기도 하고

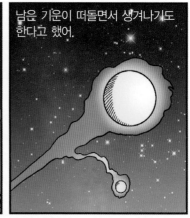

남은 기운이 떠돌면서 생겨나기도 한다고 했어.

다만 사람과 땅의 기운이 조화됨이 극에 달할 때 이루어진 것은 상서로운 별이고

사람과 땅의 기운이 떳떳함을 잃었을 때 이루어진 것은 혜성이라고 한 거야.

연관 짓지 말라면서요?

또.

이런 모습은 동양과 서양이라는 이질적인 관점을 융합하고자 치열하게 고민한 흔적이 아닐까?

SCIENCE Science 科學

둘을 섞는 건 너무 힘들어!

제8장

만물의 생성과 변화의 근본은 햇빛이다

우리는 지금까지 밤하늘에서 일어나는 일을 살펴보았어.

이제는 지구의 하늘에서 일어나는 일에 대해 알아볼까?

여기서는 먼저 바람과 구름, 비와 눈, 천둥과 번개 등의 변화에 대한 홍대용의 설명을 들어볼 거야!

여긴 전통적인 자연관으로 설명하는 부분이 많다는 게 특징이지.

예를 들어 홍대용은 바람이 생기는 이치를 다음과 같이 설명했어.

바람의 이치
(1)

지구가 자전하면 당연히 기운의 흔들림이 생길 것이다.

산은 높고 골짜기는 깊으니까

지구의 자전으로 생긴 기운이 그 굴곡진 땅에 부딪혀 사방으로 흩어져 나가게 되는데, 이것이 바로 바람이다.

그래서 그는 땅에서 수백 리만 떨어져 있어도 바람이 전혀 없다고 했어.

부딪칠 곳이 없으니까~.

홍대용은 독특하게도 바람이 생기는 원인을 다른 학자들처럼 땅의 기운이 아니라 지구 자전에서 찾았던 것이야.

당연한 거잖아!

원인이 있어야 결과가 있지.

하지만 실제로 지표에서 수백 킬로미터 떨어진 상공에서도 거센 편서풍이 불고 있다는 것을 홍대용이 알았다면 깜짝 놀랐겠지?

쎄에엥

우째 이런 일이!!

또한 홍대용은 비는 시루에 이슬이 맺히는 것과 비슷한 원리로 생긴다고 했어.

물과 흙의 기운이 증발하여 하늘로 올라가다가

짙은 구름에 막히면 엉겨서 빗방울이 된다고 했지.

그래서 구름이 얇거나 기운이 증발되지 않으면 비가 안 만들어진다고 했단다.

얇은 구름

그냥 통과해.

짙은 구름

이젠 올라오지가 않네!

한편, 눈은 차가운 기운이 증발한 것이고

서리는 따뜻한 기운과 차가운 기운이 섞인 것이며

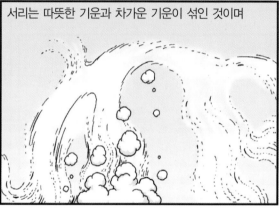

우박은 따뜻한 기운과 차가운 기운이 부딪쳐서

갑자기 내리는 비가 언 것이라 했어.

모두 증기로 이루어져 있다는 점에서 비의 친구들이라 할 수 있겠지.

Rain Family

후훗. 비의 친구들인 건 맞지만, 홍대용이 말한 생성 원리는 틀린 것이 많지? 당시에는 관측 시설도 변변치 않았고, 자꾸 기(氣)로만 바라보았기 때문일 거야.

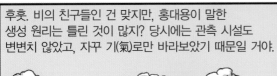

사실 수증기가 구름에 부딪혀서 비가 되는 것이 아니라 구름이 되는 것이지.

수증기가 높이 올라가다 기온이 낮아지면

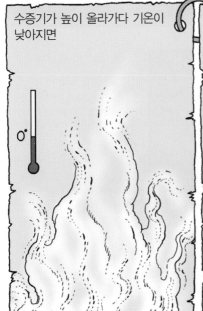

뭉쳐서 아주 작은 물방울과 얼음조각이 되는데, 이게 바로 구름이거든.

얼음조각은 주변의 수증기를 끌어 모아 점점 커지는데, 그대로 떨어지면 눈이고,

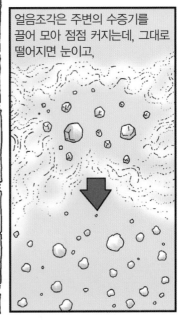

기온이 높아서 떨어지다가 녹으면 비가 되는 거야.

우박은 무척 강한 바람이 올라와 떨어지려는 눈을 자꾸 밀어 올려줘서

엄청나게 거대해진 얼음알갱이야.

또한 홍대용은 구름에 막혔던 증기가 부딪쳐서 불이 난 것이 번개이고 천둥은 그 소리라고 했어.

번개가 먼저 치고

나중에 천둥이 치면 먼 곳에서 일어난 것이고

거의 동시에 치면 가까운 곳에서 일어난 거야.

그래서 백 리 밖에서 증기가 부딪혀 불이 일어나면 번개만 친 것이고,

백 리 밖이야. 진정해.

번개는 안 보이고 천둥만 치는 것은 쌓인 구름이 가로막았기 때문이지.

공갈포

T.i.p.

빛은 1초에 300,000킬로미터를 이동하므로 번개는 아무리 멀어도 발생과 거의 동시에 볼 수 있지만, 소리는 1초에 약 340미터를 가기 때문에 1킬로미터 떨어진 곳에서 발생하면 약 3초 후에 천둥소리가 들린다.

또 천둥 번개의 기운은 세차고 사나우며,

바르고 곧은 것을 두려워하고, 부정하고 악한 곳으로 간다고 믿었어.

다음은 무지개야.

무지개는 물의 기운이며 빛이 비스듬히 비추면 이 빛을 빌려 반원형을 이룬다고 했어.

무지개가 정오에 뜨지 않는 것은 물의 기운이 두껍지 않기 때문이고,

해무리와 달무리도 무지개와 같은 부류야. 다만 공중에서 만들어지니까 원형을 이루지.

근데 왜 다 동그래?

무지개와 무리가 원형인 것은 해와 달이 원형이기 때문이지!

이 정도면 무지개에 대해 상당히 잘 알고 있는 거야. 중국 고전에는 무지개가 연못을 빨아먹는다는 얘기가 있을 정도였으니까.

그만큼 신기해 보인 거지.

무지개는 공기 중에 물방울이 많을 때 비스듬하게 들어온 햇빛이 물방울에 의해 굴절되는데, 파장에 따라 굴절되는 정도가 달라서 파장이 나누어지는 바람에 아름다운 색이 펼쳐진 거야.

정오에는 태양 고도가 높아서 비스듬하지도 않고, 더우니까 증발이 일어나서 공기 중에 물방울이 별로 없으니까 무지개가 잘 안 나타나.

보라색은 파장이 짧고, 빨간색은 파장이 긴 빛이야.

표준 비시감도야.

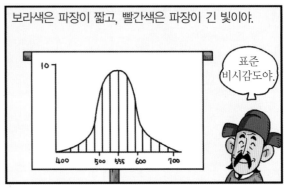

다음은 해와 달이 지표면과 가까이 있을 때 더 커 보이는 이유에 대해서 설명해 줄게.

기의 작용 때문이지!

이건 일종의 착시현상이야.

이런 것들?

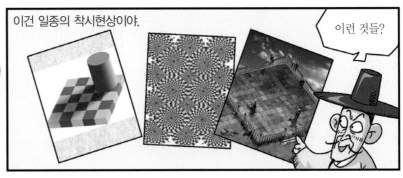

우리 눈은 같은 크기라도 멀리 있는 걸 더 크게 인식한다고 해. 지표면에 가까이 있으면 주변 사물과 거리와 크기가 비교되면서 높이 떠 있을 때보다 크게 느껴져.

같은크기

기의 작용, 그러니까 대기에 의한 빛의 굴절 때문이야!

굴절?

실옹은 이것을 대기에 의한 빛의 굴절 때문이라고 설명하고 있어.

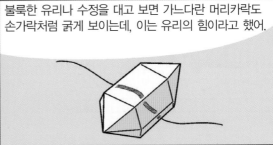

불룩한 유리나 수정을 대고 보면 가느다란 머리카락도 손가락처럼 굵게 보이는데, 이는 유리의 힘이라고 했어.

물과 흙의 기운이 증발하여 지면을 둘러싸고 있는 것을 서양 사람들은 대기라고 부르는데 물이나 유리처럼 낮을 것을 높게, 작은 것을 크게 보이게 하지.

물과유리 효과

대기

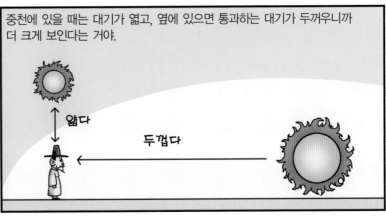

중천에 있을 때는 대기가 엷고, 옆에 있으면 통과하는 대기가 두꺼우니까 더 크게 보인다는 거야.

얇다

두껍다

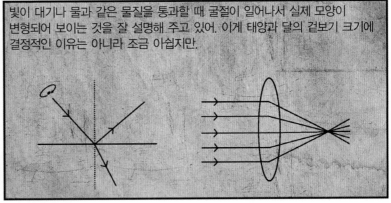

빛이 대기나 물과 같은 물질을 통과할 때 굴절이 일어나서 실제 모양이 변형되어 보이는 것을 잘 설명해 주고 있어. 이게 태양과 달의 겉보기 크기에 결정적인 이유는 아니라 조금 아쉽지만.

공기가 있기 때문에 웅장한 천둥소리도 백 리를 가지 못하고

조용하니 잠자기 좋고

사나운 총탄도 천 걸음을 못 가는데,

왜 이렇게 안 맞아?

잘잤다!

공기를 밀고 나가는데 한계가 있기 때문이라는 거야.

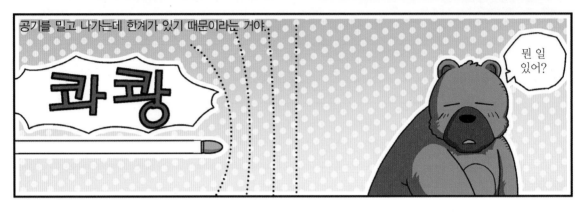

뭔 일 있어?

공기가 공간을 가득 채우고 있으며, 그 속에서 일어나는 운동을 방해한다는 설명은

아이고 힘들어.

공기를 물질적 존재라고 보는 매우 과학적인 해석이야.

눈에 보이지 않는다고 없는 게 아니지.

하지만 우주를 채우고 있으며 만물을 형성하는 존재인 기(氣)와 공기의 구분을 애매하게 남겨 두었다는 것은 그의 한계였어.

일단 뭔가 움직이고 변하는 것은 기(氣)라고 하자!

그럼 공기도 뭉치면 뭔가 만들어지는 건가….

시간 없으니 넘어가자고!

이처럼 지구에서 일어나는 여러 현상들의 원인은 바로 태양이 있기 때문이야.

이 사실을 이해한 홍대용은 기존의 음양오행설을 비판하고, 본래의 의미를 되찾아야 한다고 주장했어.

양에 속하는 것들은 모두 불에 근본을 두고 있고

음에 속하는 것들은 모두 땅에 근본을 두고 있지.

옛 사람들은 태양빛이 세고 약함에 따라 음양을 구분한 것뿐인데,

두 기운이 때에 따라 생겨나고 사라지면서 천지자연의 이치를 만들어낸다는 것은 후대 사람들이 오해한 것이라고 했어.

앞서 홍대용이 지구의 본성을 어둡고 차갑게 보아 부정적으로 규정한 이유가 여기에 있지! 바로 태양의 중요성을 강조하기 위해서였던 거야.

햇빛만 받으면 밝고 따뜻해진답니다.

여긴 추워!

하루 동안에도 아침과 낮의 기온이 다르고

아침은 추워…

오~ 더워.

1년 동안 겨울과 여름의 기온이 다르며

겨울잠 자러 가야겠군.

피서 가자!

같은 지구에서도 남과 북의 기후가 다른 것은

모두 태양빛이 어떤 각도로 들어오느냐에 따라 달라지는 거야.

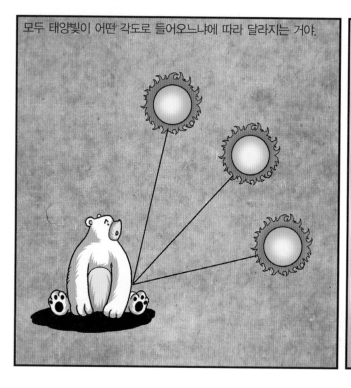

예를 들어 적도 부근에서는 여름에 태양이 천정과 정확히 일치하여, 그대로 내리 찍어 마치 불사르듯 뜨겁고 영원히 얼음을 볼 수 없고,

곰탕 되겠다!

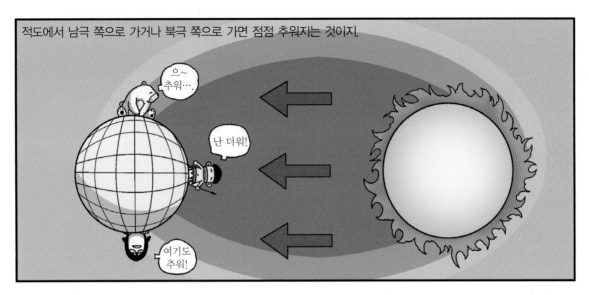

적도에서 남극 쪽으로 가거나 북극 쪽으로 가면 점점 추워지는 것이지.

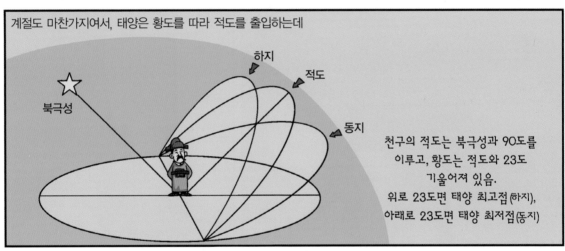

계절도 마찬가지여서, 태양은 황도를 따라 적도를 출입하는데

천구의 적도는 북극성과 90도를 이루고, 황도는 적도와 23도 기울어져 있음. 위로 23도면 태양 최고점(하지), 아래로 23도면 태양 최저점(동지)

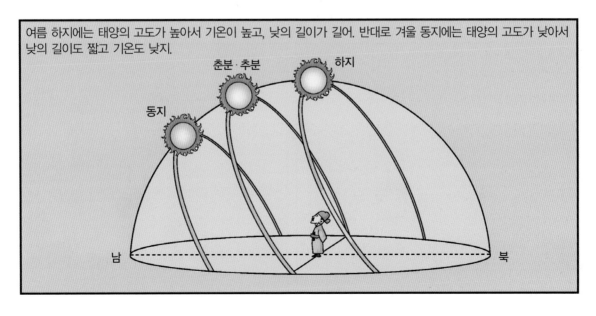

여름 하지에는 태양의 고도가 높아서 기온이 높고, 낮의 길이가 길어. 반대로 겨울 동지에는 태양의 고도가 낮아서 낮의 길이도 짧고 기온도 낮지.

낮과 밤의 길이 차이는 극에 가까워질수록 커져서

그리고 적도를 기준으로 남쪽 지역과 북쪽 지역의 계절은 반대야.

남북 양극에 이르면 낮이 반 년, 밤이 반 년에 이르지.

아침과 낮도 마찬가지여서 이제 막 태양이 떠올라서 지표면에 가까이 있을 때는 기온이 낮지만

한낮에는 따뜻하잖아.

태양의 위치에 따라 시간도 달라져. 가령 여기가 정오라고 한다면 동쪽으로 90도가 되는 곳은 저녁 때가 되고, 더 가면 어두운 밤이야. 서쪽으로 90도가 되는 곳은 아침 해가 뜨는 시간이고, 더 가면 새벽 어스름이지. 반대 편은 한밤중이고!

어떻게 이렇게 정확히 설명할 수 있었는지 신기할 뿐이야!

하지만 우리의 허자는 아직 미련이 남은 모양이야.

태양이 동지점에 이르면 양(陽)이 하나 생기고, 하지점에 이르면 음(陰)이 생겨서

음양이 바뀌면서 봄과 여름이 되고

음 양

하늘과 땅이 닫히면서 가을과 겨울이 되며,

탁

올라갑니다.

남쪽은 양이고, 북쪽은 음이라는 참된 원인을 버리고

음 양

햇빛의 기울기에만 의지하시는 것은 잘못된 게 아닙니까?

이놈아, 누가 참된 원인이래!

그저 책을 읽고 상상한 게 아니냐?

그럼 태양이 없어지면 어떡합니까?

격

죽음의 세계가 되겠지. 우주에 그렇게 된 곳이 한두 군데겠느냐?

하늘은 오행의 기운이고,

땅은 오행의 형질입니다.

기운

金 木 水 火 [물]

형질

사물을 생성하는 데 스스로 갖춰진 바가 있는 것이지 어찌 전적으로 태양에만 달려 있습니까?

쉽게 물러서지 않는 허자의 모습은 그만큼 음양오행론이 성리학에서 중요한 위치를 차지하고 있다는 걸 보여주는 거야.

그동안 기후와 계절 변화를 비롯한 만물의 생성과 움직임을 아주 잘 설명해 왔으니까.

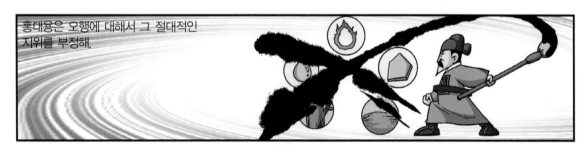

홍대용은 오행에 대해서 그 절대적인 지위를 부정해.

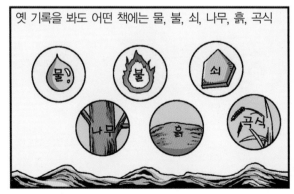

옛 기록을 봐도 어떤 책에는 물, 불, 쇠, 나무, 흙, 곡식

어떤 책에는 하늘, 땅, 불, 물, 번개, 바람, 산, 연못

불교에서는 땅, 물, 불, 바람

서양에서는 불, 물, 흙, 공기

라고 하는 등 만물을 구성하는 요소를
때에 따라 다르게 삼았는데

왜 책들마다 다
다른 거야!

천지만물이 오행에 맞춰져 있다고 본 것은 술가들이 무리하게
이치를 맞추고 엮어서

뭐, 곡식? 하여튼
무식한 것들이
아무거나 갖다
붙이지.

엑기스만
모은 게
다섯 개라니까!

뭐? 네 개?
어디서 함부로
줄이고 그래!

여러 술수들을 장황하게 만들어 낸 것이라고
했어.

야… 여긴
물이 부족해서
그렇구먼.

오행의
이치가
그래~.

위이잉

두 눈 뜨고
못 보겠군!

홍대용은 오행 중에서 불은
태양이고,

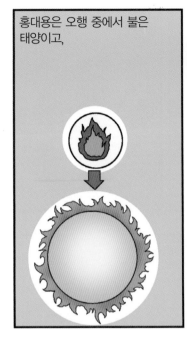

물과 흙은 지구지만

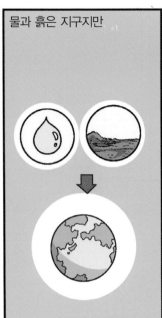

나무와 쇠는 지구와 태양이 만든 것이니
나란히 둘 만한 게 못되고,

지위 격하

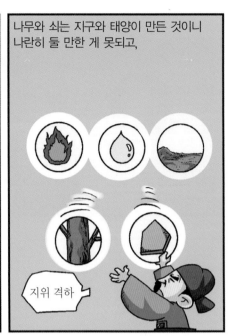

만물이 형성되고 변화하고 소멸하는 과정에서

형성 ⇨ 변화 ⇨ 소멸

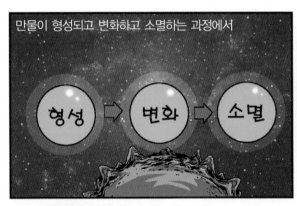

중요한 요소를 들자면 불, 물, 흙일 수도 있고

하늘의 기, 태양의 불, 지구의 물과 흙일 수도 있다고 했어.

태양의
불

하늘의 기

지구의
물과 흙

이것으로 오행론을 대체하고자
한 건 아니라 그저 예시를
보여준 것이지.

즉, 숫자가 중요한 게 아니라고 말하고 싶었던 거야. 재료일 뿐이니까.

중요한 건 '햇빛'이지!

예를 들어 밥을 지을 때 쌀, 물, 그릇, 불이 주재료이지만

물

그릇

쌀

불

여기에 호박을 첨가하든, 밤을 첨가하든,

중요한 건 '사람'이 밥을 짓고 먹는다는 것이지.

내가 한 거야!

나두 먹고 싶다….

사람과 사물이 태어날 때 태와 알, 뿌리, 씨앗 등 각기 그 근원이 있는데 어찌 태양 빛을 기다리겠습니까?

물론 근원이 되는 물질이 있어야 함은 당연하다. 허나 사람과 사물이 생동하는 것은 태양 빛에 근본을 두고 있는 것이다.

만약 태양이 사라진다면, 지구같이 어둡고 차가운 별에서 태와 알, 뿌리와 씨앗이 살아 있을 수 있겠느냐?

그래서 땅은 만물의 어머니이고, 태양은 만물의 아버지이며, 하늘은 만물의 조상이라고 말하는 것이다.

삼가 말씀을 받들겠습니다.

그 당시 과학 수준에 비해 홍대용은 상당히 근대적인 물질관을 갖고 있었어.

공기를 추상적인 기(氣)의 일종이 아니라 물체의 운동에 영향을 줄 수 있는 구체적인 물질이라고 인식했지.

현재 우리는 공기가 수많은 기체분자들이며, 공기저항력, 마찰력을 발휘한다는 걸 알고 있어.

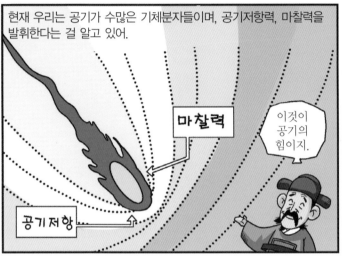

오행에 얽매이지 않았던 것도 발전된 물질관 때문이지.

특히 대기, 해양은 물론 생명활동까지 모든 지구의 에너지 근원은 태양에너지라는 점을 거듭 명백히 주장하는 것은 그의 과학적인 자연관을 보여주는 중요한 부분이야.

판구조론

지진과 화산 활동

▲ 중국 쓰촨성 지진

육지가 바닷속에 잠기고, 바닷속 땅이 솟아올라 육지가 되는 지각변동은 수천 년에서 수백만 년 동안 아주 서서히 일어나기 때문에 느낄 수가 없습니다. 실용이 말한 것처럼 산에서 발견되는 조개 화석이나 바닷가 산에 많은 흰 모래 등 흔적으로 알 수 있는 거예요. 그런데 깜짝 놀랄 정도로 갑자기, 강력하게 발생하는 지각변동이 있답니다. 바로 지진과 화산활동입니다.

2004년 인도네시아 수마트라 섬 부근, 2008년 중국 쓰촨성, 2010년 아이티와 칠레에서 발생한 대지진은 사상자가 수십 만 명에 이르렀고, 2011년 일본 도호쿠 지방 앞바다에서 일어난 대지진은 직접적인 피해에 바닷가에 건설한 원자력 발전소의 피폭으로 인한 방사능 유출까지 덮쳐 오랫동안 불안에 떨어야 했습니다. 또한 화산활동은 전 세계 곳곳에 화산과 화산섬을 만들어 놓았어요. 우리나라의 백두산과 한라산, 울릉도뿐만 아니라 일본과 하와이는 대표적인 화산섬이지요. 현재도 하와이와 아이슬란드에서는 화산 폭발이 수시로 일어납니다. 2011년에 있었던 아이슬란드 화산 폭발 때문에 화산재가 하늘을 뒤덮어 무려 일주일 동안 유럽의 모든 비행기가 운행을 중단하기도 했어요.

판 구조론

▲ 판구조론

　신기한 건 지진과 화산 활동의 대부분은 위쪽 그림에서 보이는 판의 경계에서만 발생한다는 겁니다. 그 이유는 지구 표면이 '판구조'로 이뤄져 있기 때문입니다. 지구 표면은 약 100km 두께의 딱딱한 암석인데, 이게 10여 개의 크고 작은 판으로 갈라져 있습니다. 지구 내부의 맨틀은 암석이지만 부분적으로 조금씩 녹아 있어서 서서히 움직이기 때문에 이 위에 있는 판들이 같이 움직입니다. 움직이는 방향과 속도가 제각각이다 보니 판과 판이 찢어져서 갈라지기도 하고, 부딪혀서 솟아오르거나, 부딪힌 두 판 중에서 밀도가 큰 판이 밀도가 작은 판 아래로 들어가는 일이 생깁니다. 그래서 판들의 경계에서 끊임없이 지진과 화산이 발생하는 거예요. 보통 판은 1년에 3cm~10cm정도 움직이기 때문에 우리는 그 변화를 못 느끼지만 GPS 인공위성으로 관측하고 있어요. 이렇게 지각 변동을 지구 표면의 판 운동으로 설명하는 이론을 판구조론이라고 합니다.

제9장

상전벽해의 이치와 장례문화

이 세상 모든 물의 고향, 바다란 무엇인가?

바다라는 것은 가뭄에도 마르지 않고,

바다가 마르기 전에 내가 말라 죽겠다.

비가 와도 넘치지 않으며

신기하네.

추워도 잘 얼지 않고

바다가 얼면 우린 어떻게 살라고….

모든 냇물과 강물이 흘러들어도 그 짠 맛이 변하지 않으며.

그래도 짜네.

밀물과 썰물이 그 때를 어기지 않고 일어나는데,

그 이치에 대해 듣고 싶습니다.

앞에서 달은 얼음의 성질을 가지고 있다고 했지?

즉, 달은 물의 깨끗한 기운을 가지고 있다는 말이라네.

비슷한 것은 서로 끌리게 마련이니까,

바다가 달을 만나면 솟아올라 밀물이 되는 것이지.

밀물과 썰물의 흐름을 조류라고 해.

내가 아니고 이거…

먼 바다의 조류는 관찰하기 어렵지만

육지 주변은 조류가 강해. 특히 우리나라 서해안과 남해안은 조차도 크고 조류도 강하지.

이처럼 홍대용은 지구 전체를 고려해서 바다를 설명했어.

우리나라 근처 바다는 1년 내내 온도나 염분변화가 심하지 않지만

적도 근처는 태양 빛이 1년 내내 강하게 내리쬐기 때문에

으~ 목말라!

바닷물의 맛이 소금처럼 짜고,

순도 99.9% 소금이군!

바다는커녕 육지도 어는 일이 없지.

어는 게 뭐야?

반면에 양극 지역은 태양빛이 약하기 때문에

기온이 매우 낮아 춥고, 밀물과 썰물도 잘 일어나지 않아.

잠잠...

따라서 얼음 바다가 생기는 거야.

여긴 바다보다 얼음이 더 많아.

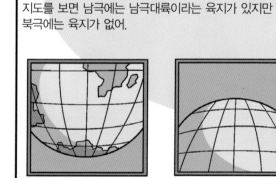

지도를 보면 남극에는 남극대륙이라는 육지가 있지만 북극에는 육지가 없어.

그런데 위성사진을 보면 북극에도 육지처럼 보이는 하얀 덩어리가 있지?

그것이 바로 100% 얼음이라는 사실!

가도 가도 얼음이야!

바다는 끝없이 넓고 커. 장마가 져서 아무리 많은 양의 강물이 바다로 흘러들어도, 그 양은 한 잔의 물에 불과하다고 할 수 있어.

뭔 일 있냐?

강물이 들어온다!

홍대용은 바다가 변하지 않는 또 다른 이유로 바닷물이 스며들어 멋대로 흐르고 역류하면서 육지의 강과 샘의 근원이 되었기 때문이라고 설명했어.

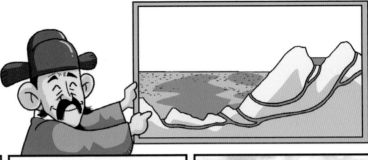

땅의 기운이 스며들어 짠맛이 빠지고

짠물

넘쳐서 우물과 샘이 되고,

모여서 강이 되고,

태양과 바람이 물을 증발시켜 비와 눈을 공급해주어 사람과 사물을 적시고 마실 물이 되는 거야.

물맛 좋군!

모두들 어차피 원래 바닷물이었으니 바다에 영향을 줄 수 없다는 것이지.

원래 다 내 건데 뭘…

옛말에 상전벽해라던데, 이게 가능한 말입니까?

Tip
상전벽해(桑田碧海):
'뽕나무 상, 밭 전, 푸를 벽,
바다 해'라는 한자성어로
뽕나무 밭이 푸른 바다로
변했다는 뜻이다. 몰라보게
변한 모습을 비유적으로
표현할 때 사용한다.

지구의 표면은 물과 바람에 의한 풍화와 침식 작용으로 탄생 순간부터 지금까지 계속 그 모습이 변해 왔어.

사람의 수명이 백 년을 넘지 못하고

땅과 물의 변화는 서서히 진행되는 것이라

사람이 쉽게 깨달을 수가 없어.

뭐야? 똑같잖아!

하지만 조개껍질이나 물살을 닮은 돌이 간혹 높은 산에 있기도 하고

바다 근처 산에는 흰 모래가 많은 것을 보면,

땅과 바다가 계속 변하고 있음을 알 수 있지.

주장을 하려면 이처럼 과학적인 근거를 제시해야 하는 법!

홍대용은 땅을 끊임없이 변화하고 움직이는, 살아 있는 존재로 여겼어.

Hi!

그러니 땅의 변화는 자연스러운 일이지.

생물이니까 움직이는 거야!

심지어 지진이나 산이 움직이는 일까지도 말이야.

우리도 살아 있기 때문에 끊임없이 혈액이 순환하고, 호흡을 하며 들썩이고 있잖아.

우사인 볼트!

후하

후하

그런데 사람들은 땅이 조금만 변해도 이상하게 여기고 길흉을 따지곤 하지.

땅이 변해서 물이 나오질 않아!

재앙이 닥칠 징조야!

땅은 몸체가 크고 무거워서 사람처럼 가볍게 움직이지 못할 뿐인 거야.

나랑 같이 조깅할래?

통~

통~

물, 불, 바람의 기운이 돌아다니다가 막히면 땅에 흔들림이 일어나고

거세지면 산을 밀어 옮기는 것이라고 했어.

쿠쿠쿠

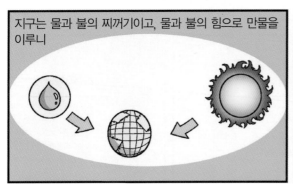

지구는 물과 불의 찌꺼기이고, 물과 불의 힘으로 만물을 이루니

결국 땅은 물과 불이 있기에 살아 움직이는 것이지.

온천이나 짠 우물같이 독특한 것들도 모두 물과 불이 부딪쳤기 때문이라고 설명할 수 있는 거야.

뜨끈뜨끈 하군~.

소금물이 필요하면 전화해~.

땅의 기운이 가장 크게 영향을 미치는 분야는 바로,

풍수지리설!

묘자리가 좋지 않으면 집안에 재앙이 미친다고 하더라고요.

그러니 도리에 맞게 모셔야지.

도리?

홍대용은 풍수설이 만들어진 후 많은 시간이 지나면서 풍수설이 가진 본래의 가르침과 그 속에 담긴 생각이 변질되었다고 생각했어.

그래서 그는 풍수설에 덧붙은 온갖 미사여구와 왜곡된 술수를 걷어내고 본래의 의미를 찾아야 한다고 주장해.

부모가 살아 계실 때 힘써 모시는 것은 사람으로서 지켜야 할 당연한 도리야.

돌아가신 후에는 존경하는 마음으로 유품을 조심스럽게 간직하게 마련이지.

하물며 그 시신을 모시는 일이야, 그 중요함을 이루 말할 수 없지.

하지만 삶과 죽음의 길이 다르기 때문에 귀하고 천한 것이 달라.

살아 있을 때는 아름다운 옷이 더럽혀질까

습한 기운에 병이 생길까 하여

흙을 멀리하는 것이 당연해.

그러나 원래 흙은 만물의 어머니이고, 생명의 근본이야.

황색 가운데 따뜻하고 부드러운 것으로 흙보다 귀한 것이 없어.

황토 매트

황토 찜질

황토 벽돌

황토 집

황토 침대

그런데 사람들은 묘 안에 옷과 이부자리를 넣어 주고.

염라대왕 만날 때 예쁜 옷으로 갈아 입으세요. 잘 보여야 천국 가죠.

관 속에 시체의 위치를 고정하기 위한 나무판도 끼워 넣고

이거 좀 헐렁한 거 같은데?

수의를 입히고 두건을 씌우며

최고급 수의예요. 좋으시죠?

오로지 흙과 멀어질 궁리만 하는 것 같아.

흙은 더러우니까

으이구, 산 사람한테나 더럽지! 결국 흙으로 돌아갈 것들이.

이런 것들이 흙 속에 들어가면 여러 가지 문제가 나타나.

땅 속에서 썩어 없어지면 그 자리에 빈 공간이 생기는데,

빈 공간은 땅 속을 흐르는 기운을 막고, 기운을 한 곳에 고이게 하거든.

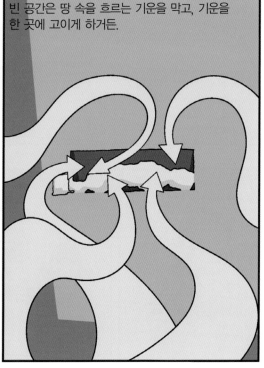

땅을 돌아다니는 물, 불, 사람의 기운은 꽉 찬 곳을 만나면 피해가고, 텅 빈 곳을 만나면 모이는 거야.

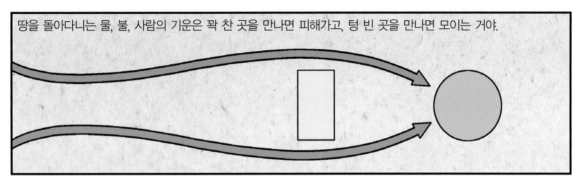

그러면 고인 물이 썩듯이,

유해가 뒤집히고 갈라지는 화가 닥치고 벌레가 생겨 문드러진다는 것이지.

원래 풍수지리설이라는 게 좋은 땅의 기운을 타려는 것이잖아?

홍대용은 땅 자체에 생명성이 가득하니 이걸 해치지만 않으면 그것으로 충분하다고 여긴 것이지.

좋은 걸 왜 건드려?

그래서 그는 봉분을 쌓지 않는 것이 더 좋은 장례법이라고 여겼어.

필요없어!

오히려 진정한 선비들은 시신을 베로 싸서 그대로 묻는 장례를 치렀다고 하면서,

그것이 오랜 옛날부터 전해온 거짓 없고 정성스러운 장례법이라고 했지.

흙에서 흙으로

모든 만물이 그러하니 선비도 마찬가지.

홍대용은 화장을 한 후 사리를 모시는 불교식 장례법을 깨끗한 장례법이라고 소개했어.

하지만 홍대용 스스로도 말처럼 행동하지 못했어. 다른 사람들처럼 부모의 묘소에 봉분을 쌓고, 나무를 심고 가꾸었거든.

그동안 유교 사회에서 지켜 온 장례법을 무시하기란 매우 어려운 일이었기 때문이야.

이에 대해 홍대용은 '사회에 태어나면 그 마땅한 도리가 있게 마련' 이라고 설명하고 있어.

그런데 왜 다들 봉분을 쌓습니까?

보는 눈이 너무 많아~.

당시 조선은 그랬으니까

로마에 가면 로마법을 따르라는 말도 있잖아.

시대에 맞는 도리를 참작해야 한다는 것이지.

유행이거든.

다만 남에게 보여주기 위한 화려한 허례허식이 되지 않도록 조심하고,

카카카! 묘소라면 이 정도는 되야지!

살아 생전에나 잘할 것이지….

장례의 근본인 '영원히 안장하는 것' 만 생각하여 검소하고 자연스럽게 행하도록 노력하자고 말했어.

고생했다 행복하거라.

평안하십시오.

대개 평원이나 높은 언덕은 모두 복된 땅이라는 홍대용의 입장에서 보면

명당을 찾아 이리저리 헤매고 돈을 들이는 일은 망령된 술수에 지나지 않을 거야.

양지 바른 곳은 당연한 얘기고요,

주변 산세를 또 봐야 되는데…

여기는 100만원이고, 저 너머는 300만원 정도?

잘 생각 해보슈.

묘 한번 잘못 쓰면 패가망신 이지~.

하여든 저것들은 말을 너무 잘해.

옥에 갇힌 중죄인이 하도 매를 맞아 떼굴떼굴 굴러도 자식 몸에 병 생겼다는 소리는 못 들었는데.

분명히 이치에 맞지 않는 일이지만 묘를 만드는 이들의 술수가 하도 교묘하여 오랜 기간 사람들이 그저 따랐을 뿐이라네.

잘했어! 곧 좋은 일이 있을 거야!

가끔은 그들의 말이 맞는 것처럼 보이는 일들이 우연히 일어나기도 하고,

여보! 우리집 값이 올랐대요!

거봐! 내 말이 맞지!

많은 사람들이 간절히 믿다 보니 어떤 영향력을 발휘해서

진짜 이뤄지기도 하다보니, 계속 술수를 따르게 된 것이지.

아빠, 엄마 장원급제 했어요!

풍수지리를 따르기를 정말 잘했어.

실옹의 말은 현대 사회를 사는 우리에게도 많은 걸 생각하게 해.

인터넷과 대중매체를 생각해봐.

어떤 사건이 터지면 출처를 알 수 없는 추측성 글이 순식간에 부풀려지고

어디서 봤는데.

우리 언니 친구 이모의 후배가 그러는데

뉴스에 나왔다던데?

껍데기만 계속 쌓여 알맹이는 잃어버리고

A군과 사귀었대!

돈 때문에 사귀었다며?

그 돈이 OO은행이래.

OO은행이 부도났다며?

부도가 주식 때문 아냐?

처음에 이 얘기가 뭐 때문에 나온 거더라?

당사자는 겪지 않아도 될 고통까지 겪게 되지.

인터넷 에절

1장·상대방도 나와 같은 인간이다.
2장·실제 생활에서와 똑같이
　　　행동하자
3장·현재 자신이 접속한 곳의
　　　문화에 어울리게 행동하자
4장·다른 사람의 시간을 존중하자
5장·논쟁은 절제된 감정하에 논하자
6장·다른 사람의 사생활을 존중하자
7장·다른 사람의 실수를 용서……

Tip

플라시보 효과

환자에게는 치료약이라고 얘기하고 가짜 약을 투여했을 때, 믿음이라는 심리적 영향 때문에 실제로 병이 치유되기도 하는 현상이다. 제2차 세계대전 때 약이 부족하여 썼던 방법이라고 한다.

홍대용이 보기에 천체 현상의 길조나 흉조,

혜성이 떨어지다니! 흉조야!

쾌나 산가지로 화복을 점치는 것,

보자~ 올해는…

좌

귀신에게 제물을 바치는 것이

모두 한 가지 이치인 거야.

내 움직임에 너희들 멋대로 의미를 갖다 붙이지 마!

그러면서 풍수지리를 논한 유학자들을 비판하지.

풍수 지리

그 시간에 농사나 지으셔~.

자~ 다음 얘기를 잘 들어봐!

주희와 더불어 성리학을 세운 인물 중 하나인 채계통이

죄를 얻어 귀양을 가게 되자

남의 묘를 옮겨준 일을 후회한 일이 있는데,

아, 그때 이장하는 일에 관여하지 말았어야 했는데….

근본적으로는 옳지 않은 술법을 귀하게 여기고 믿은 것을 후회했을 것이라고 보았어.

명당이라는 것이 다 허망한 것을…

채계통보다 더 심한 경우도 있는데,

누구?

주자

나?

주자는 송나라 황제였던 효종이 죽자

주자가 능묘 선정에 관한 의견을 담아

풍수의 핵심은 산세의 아름답고 추함에 있다.

그러니 묘자리를 고르실 때는 이것 저것 다 생각해보셔야 하는데… 그게 뭐냐면… 어쩌고 저쩌고….

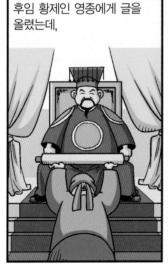

후임 황제인 영종에게 글을 올렸는데,

주자가 쓴 《산릉의장(山陵議狀)》은 나중에 풍수학의 고전이 되었지.

山陵議狀

이게 짱이지!

홍대용은 《산릉의장》에는 거짓된 술수만 가득하고, 마치 그것이 진실인 양 떠받들고 있다고 신랄하게 비판했어.

쓰레기는 태워야죠.

아악!

하지만 조선의 사관들은 그 책을 쓴 이가 유학에 통달한 큰 학자이므로 책의 내용을 감히 평가하지도 못하게 했어.

따라서 이상한 꾀들이 판을 치고 천하가 미친 듯하여 날이 갈수록 세상살이가 번거로워지니

그 해악을 이루 말할 수 없다고 강하게 비판하지.

몽땅 다 체포해 버리겠어!

주자는 성리학의 아버지로 공자만큼이나 조선의 학자들에게 절대적인 존재인데

홍대용이 이런 큰 인물을 거침없이 비판한 것은 대단한 일이라 할 수 있어.

99분토론

아, 물론 존경하죠. 저도 유학자인데-

고맙구먼…

특히 그 탁월한 방법과 해석! 크… 반했습니다.

음… 그럼 그럼…

하지만 풍수지리설 같은 건 거의 사기꾼 수준…

뭐… 뭣이?

홍대용 사상에서 땅의 생명성에 관한 부분은 역사를 보는 관점에서도 중요한 위치를 차지하고 있어.

역사? History?

내가 말하는 역사는

생명과 도덕이 쇠퇴하는 과정인데,

처음에는 아무 욕망도 없는 깨끗한 상태였다가

땅의 기운이 쇠하면서 욕심이 생기거든.

땅의 기운이 더욱 나빠져

깨끗한 기의 흐름은 완전히 끊기고

사람과 사물은 땅을 더욱 훼손하지.

결국 지금은 사람들의 재앙이 극에 달했다는 거야.

홍대용은 끊임없이 운동하고 변화하는 땅과 만물이 서로 영향을 주고 받으며,

역사를 만든다고 믿었어.

일반적으로 역사를 인류의 쇠퇴 과정으로 보는 역사관은

고대의 이상적인 상태를 회복하자는 복고주의적 개혁론과 결합되어

전통적인 유교 사회관의 한 주류를 이루었어.

하지만 홍대용은 허망한 복고주의보다는 좀 더 실천적이고 현실적인 관점을 제시하며 역사를 발전시키고자 했단다.

제10장

내가 사는 곳이 세상의 중심이다

인간과 사물은 어떤 역사를 거쳐 왔을까?

이를 알기 위해서는 먼저 '기화(氣化)'와 '형화(形化)'라는 두 개념을 알아야 해.

氣化   形化

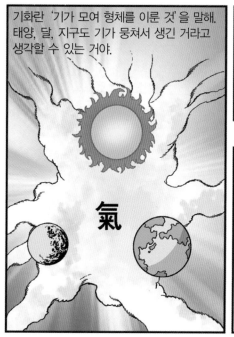

기화란 '기가 모여 형체를 이룬 것'을 말해. 태양, 달, 지구도 기가 뭉쳐서 생긴 거라고 생각할 수 있는 거야.

氣

지구가 태어났을 때, 지구에 있던 돌과 흙, 동굴 같은 것이 모두 기화로 생긴 것이지.

반면에 형화란 암수가 만나 새끼를 만드는 것을 말해.

아기, 강아지, 송아지, 씨앗… 이런 것들은
형화로 만들어진 것이지.

역사가 시작되었을 때는 오직 기화만 있었어.

사람과 동식물이 별로 없었는데, 모두 품성이 두텁고, 지혜가
깨끗하고 밝으며, 몸가짐이 점잖았고,

안녕하세요?

네, 별고
없으시죠?

숨만 쉬어도 배고프거나 목마르지 않아서

후하~

후하~

외부 물질에 의지하지 않고도
번성했어.

키가
크셨네요!

님이야말로!

기쁨과 분노가 자라지 않았고,

원하는 것도 없이 그저 마음껏
즐겁게 놀았지.

새와 짐승, 물고기가 다 천명을 다하고, 풀과 나무,
쇠와 돌도 다 형체를 보전할 수 있었어.

하늘과 땅에도 재앙이 없었어.

이런 것이 만물의 참된 본 모습이었어. 본성은 참 착했던 거야. 그래서 세상이 참 태평했어.

그런데 땅의 기운이 쇠하기 시작하면서,

남녀의 정이 생기고, 아기가 태어나면서 형화가 등장하게 돼.

중고(中古) 시대가 시작된 거야.

형화가 있게 되면서 사람과 동식물의 수가 늘어났고,

땅의 기운이 점차 빠져나가고

마침내 기화가 끊기게 돼.

이제 기가 뭉쳐서 만들어지는 건 없어~.

안으로는 배고픔과 목마름의 고통이 생기니, 이제 풀을 씹고 물을 마셔야 하고,

밖으로는 추위와 더위의 고통이 생기니, 나무 위에
집을 짓거나 동굴 속에 살면서 피해야 했지.

이에 만물이 자기 몸을 챙기기 시작했어.

내 이빨이
더 크거든!

독니 맛 좀
볼래?

찔려도
난 몰라.

홍대용은 이와 같은 만물의
이기주의적인 태도 때문에 사회가
퇴락하기 시작했다고 진단했어.

이기적인
것들

내
얼굴도
나와?

나도 얼굴
좀 나오자!

뭔데?

사냥을 하게 되면서 새, 짐승, 물고기는 제명을 다하지 못하고,

게 섯거라~.

집을 지어 사치하게 되면서 풀, 나무, 쇠, 돌이 그 형체를 보전할 수 없게
되었다는 거야.

어때 내 집?
좋지?

기름진 고기와 좋은 곡식에 길들여지면서

내장이 약해지고,

윽!
나무껍질을
먹었더니….

이 틈에 다
먹어야지!

베와 비단으로 몸을
따뜻하게 하면서

팔다리와 관절이 힘이 없게
되었어.

으—
추워….

난 힘이
없어…. 못
일어나겠어….

노여움과 원망과 저주, 더러움의 기운이 올라가
하늘의 재앙이 나타나기 시작했지.

노여움   원망   저주   더러움

이에 용감하고 지혜롭고 욕심 많은 자들이
태어나

각각 일정한 지역을 차지하고 우두머리가 되니

약한 자는 힘든 일에 종사하고
강한 자는 이로움을 누리게 되었지.

땅을 나누고 빼앗고,

여기까지
내 땅!

웃기고
있네.

틈만 나면 군사를 일으켜 싸우면서,

이것들이
혼나고
싶어!

얼마든지
덤벼라!

사람이 생명을 잃게 되었어.

아빠!

여봇!

솜씨가 좋은 사람들이 쇠와 나무로 흉기를 만들기 시작했고

무기 sale

날카로운 칼과 창, 독한 활과 화살로 영토를 다투다 쓰러진 시체가 들판에 가득하게 되었어.

까악

깍

이 중에 중국이라는 나라가 있었는데,

중국

산을 등지고 바다에 접했고,

바람과 물이 크고 넉넉하며

해와 달이 밝게 비추고 추위와 더위가 적당하며 황하와 명산의 빼어난 정기가 모여 선량한 사람들을 낳았다고 해.

아니, 세상의 역사를 얘기한다면서 중국 얘기만 하려는 걸까?

그…그게…

세상의 역사

당시에는 양반이라면 누구나 중국의 역사책을 공부했어.

우리나란 언제 배워요?

큰사람이 되려면 큰나라 역사를 배워야 돼!

당시조선

유학서점

유학자의 필독서
《사기》, 《춘추》
있어요!

홍대용도 마찬가지였어.

세상의 역사는
곧 중국의 역사.

그러나 역사를 보는 관점은
달랐단다.

중국도
별 거
없구면~

탁

홍대용이 들려주는 세상,
아니 중국의 역사 속으로
다시 들어가 보자!

천하의 정기를 받아 태어난 게 복희와 신농, 요, 순, 황제 같은 전설 속의 제왕들이었어.

이들은 초가집에 살면서

몸소 검소한 덕으로 모범을
보이고 백성의 생활과 일을
돌봤어.

좋은 글을 읽고 글의 내용을 실천하여,

의산문답

덕을 행하여 사람이 지켜야 할 도리를 널리 펴니, 천하가 화목했지.

이때 중국은 어느 때보다 정치적으로 안정되고, 백성들이 평화롭게 살았다고 해.

하지만 이때부터 재앙도 함께 시작되었어.

유소씨가 집 짓는 법을 처음으로 가르치자 나무와 돌의 재난이 시작되고

복희씨가 물고기 잡는 법과 사냥을 가르치자 동물의 화가 시작되고

수인씨가 불 쓰는 법과 요리하는 법을 전하고 나니 배고픔의 고통이 시작되고

창힐이 문자를 만드니 교묘한 지혜와 화려한 풍습이 시작되었거든.

전설의 성인들은 백성의 삶을 윤택하게 하려는 의도였지만,

많은 사람들이 행하다 보니, 땅이 몸살을 앓게 된 거지.

이를 두고 홍대용은 시간이 흐르고 풍속이 변하는 것은 어쩔 수 없는 일이라고 했어.

가는 시간을 누가 막으랴…

이 생각이 다른 유교적 관점과 다른 점이야.

유교

유학에서는 대개 옛날에 행해지던 큰 도로 돌아가야 한다고 주장했거든.

점잖고, 검소하고.

만물이 화목하던 그때로…

사람들이 욕심이 없던 시절이 있었지.

비단 옷이나 벗고 그런 얘기 하시지요.

사람이 어찌 욕심이 없을 수 있겠는가?

당연한 거 아냐?

좋은 집

맛난 음식

멋진 옷

홍대용이 보기에 이런 역사관은
옛 성인들이 남긴 문장의 해석과

흥~
그렇단 말이지…

현실과 상관없이 절대적인 이상만 추구하는 고집불통 학문을 하게
만들었어.

군자는
대로 행이라~

모두
비켜서!

국밥

시장통에서
뭐하는
짓이야?

물론 옛날의 검소하고 덕이 넘치던 시절이 좋고, 원하는 바이지만

시대가 변했는데 옛 것만 고집하고 시대의 변화를 거부하는 것은 큰 재앙이라고 단호하게 말했지.

옛말에
이르기를…

지금 세상에 살면서
옛날의 도리로
되돌리고자 하면
재앙이 자신에게
미치게 된다.

오히려 사회 문화의 변화를 당연한 것으로 여기고,

유행에 뒤쳐지면 안 되지.

Gee Gee Gee Baby Baby~

변화를 잘 따르는 것이 나라를 다스리는 사람들이 가져야 할 태도라고 생각했어.

옛 성인들도 이걸 잘 알았어.

그들은 특히 남녀의 감정을 막을 수 없다는 것을 알았지.

그래서 혼인의 예를 만들어 남녀를 부부로 짝을 맞어 주어 사회적인 혼란을 막았단다.

집에 사는 것을 막을 수 없었기 때문에 초가집에 살게 했어. 대신 화려한 집에 살지는 못하게 했던 것이지.

또한 옷을 입는 것을 막을 수는 없으니까 나이와 지위에 따라 옷을 다르게 만들어 입게 해서 사치를 막았어.

고기 먹는 것을 금할 수 없으니 낚시질은 하되 그물질은 못하게 하고, 산과 강을 엄격히 통제해 남획을 금했어.

남획금지

예절과 제도는 나라를 다스리는 이들이 사회를 제어하기 위해 고안한 방법이라고 생각할 수 있어.

그러나 흐르는 강물을 억지로 막으면 결국은 그 둑이 터지게 마련이야.

사실적이고 역사적으로 사회를 바라보고

때에 맞게 잘 다스리려고 노력하는 것이

훨씬 현실적이고 실천적인 대안이 아니겠는가?

순임금이 죽으면서 성인들이 다스리던 시대가 끝나고,

우임금이 뒤를 이었어.

그러니까 백성들도 재산과 지위를 사사로이 경영하기 시작했어.

나도 내 자식한테 재산 줘야지.

하긴 왕도 주는데 뭘….

왕씨한테 빌려준 거 까먹지 말고~.

우임금은 훌륭한 사람이었지만 아들에게 왕위를 물려주었지. 이때부터 세습 제도가 생겼어.

옜다!

아부지 땡큐~.

탕왕과 무왕이 은나라를 세울 때, 원래 있던 왕을 내쫓고 죽이면서부터

백성들이 윗사람을 거역하기 시작했는데, 이런 사건들도 마찬가지로 해석할 수 있어.

왕도 저러는데 뭘…

이는 몇몇 군주의 잘못이 아니야. 그 시대가 힘을 잃어 점점 쇠하고 어지러워진 것이지.

또한 홍대용은 백성들은 나라를 다스리는 자들을 보고 그들의 행실을 배운다고 생각했어.

Money

백날 농사 지으면 뭐해!

도적질이 속 편하겠다!

그래서 사회 변화의 핵심은 양반들의 변화라고 주장했던 거야.

니들이 잘해야 나라가 살지!

Money

은나라가 망하고

주나라가 세워졌어.

유명한 공자가 주나라 사람이지!

홍대용이 보기에 은나라의 뒤를 이은 주나라의 제도는 오로지 크고 화려함만을 숭상해서

우린 크고 화려한 걸 좋아해.

거대한 솥과 구슬 같은 진기한 기물,

옥으로 장식한 수레와 화려한 왕관은 사치를 보여주고

궁궐과 성곽을 보면 토목 공사가 얼마나 많고 번잡했는지를 알 수 있다고 했어.

좀 더 크게, 좀 더 빨리

주나라 이후는 더 심해져서,

사치? 그것만이면 다행이게?

왕도가 날로 사라지고 패도*가 횡행하여

* 패도 – 왕도와 대비되는 개념으로 힘에 의한 정치.

어진 척하거나 군사력이 강한 자가 왕이 되고

모략을 쓰고, 아첨을 잘하는 자가 높은 지위에 오르고,

국무총리

국방부장관

왕이 신하를 부릴 때 총애와 돈으로 꾀고,

신하가 임금을 섬길 때는 권모술수*로 부추기고,

* 권모술수 – 목적을 달성하기 위해서는 인정이나 도덕을 돌아보지 않고 모략과 중상 등 온갖 수단과 방법을 쓰는 술책.

한쪽으로는 정의를 맹세하고,

오로지
백성을 위해!

다른 쪽으로는 만약을 대비해 사욕을 채우게 되었다고 해.

빨리 빨리
옮겨!

심지어 왕이 검소하게 쓰고 세금을 깎아주고

능력 있는 자를 기용하고

국방력강화
토지정책
세금감면

죄인을 벌하는 것도

진정 나라와 백성을 위한 게 아니라,

그저 이어받은 나라를 지켜서 죽을 때까지 높은 지위와 영화를 누리다가 자손에게 전해지기만을 바란 것이라고 했어.

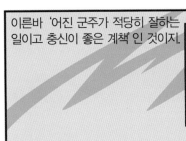

이른바 '어진 군주가 적당히 잘하는 일이고 충신이 좋은 계책'인 것이지.

국가경영도

적당한 일 + 계책

이기적인 마음이 만병의 근원이로다.

이기적인 마음은 어디서부터 시작된 걸까?

이기심

너 어디서 왔니?

형화가 등장하면서 사람과 동식물이 많아지고 나와 내가 아닌 것의 구분이 생기기 시작했어.

내장과 팔다리는 한 몸의 안과 밖이고,

나와 가족은 한 집안의 안과 밖이며,

부모형제와 친척은 한 가문의 안과 밖이고,

중국과 오랑캐가 사는 땅의 관계는 천지의 안과 밖인 것이야.

이웃마을과 국경 지대는 한 나라의 안과 밖이고

사실 안과 밖의 구분은 인지상정(人之常情), 즉 자연스럽고 당연한 일이야.

그러나 이것이 가치의 차별로 이어지면 갈등이 생기는 것이지.

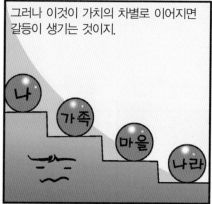

우리가 살고 있는 현대 사회를 살펴볼까?

좁게는 학교 안에서 내 또래집단과 다른 친구들을 구분하지.

그냥 친구들

그냥 반 아이들

우리는 절친~

이런 일이 심해져서 왕따 현상이 일어나는 거야.

학교보다 큰 사회에서는 정치 집단의 갈등을 들 수 있지.

서민들이 살아야 나라가 살지!

국가를 위해선 작은 희생은 감수해야지!

진보

보수

또 우리나라와 다른 나라를 구분할 때, 때때로 편협한 생각에 갇혀

우리 아니었으면 문화는 커녕 글씨도 몰랐을 미개한 것들이!

툭하면 전쟁하고 침략 좋아하는 왜구들!

문화의 가치를 차별하고 있지는 않은가? 하고 되돌아보게 돼.

오천 년 전통이 살아 숨쉬는 문화라고 들어는 봤나?

너희 건 대부분 우리나라 거 베낀 거 아냐?

결국 가치의 차별은 뿌리 깊은 상처와 전쟁으로 이어지게 되거든.

이 미개한 것들! 복수다!!

이 후진국이 까불고 있어!

쾅

콰 쾅

홍대용은 이기주의적인 사회현실에 대한 처방전으로

문화의 다양성을 제시하고 있어.

문화는 민족과 지역 특색에 따라 다양하게 마련이니,

'다름'을 인정하고 존중하는 태도를 가져야 한다는 거야.

예를 들어 홍대용은 유학자들이 입는 도포는

오른쪽 섶을 왼쪽 섶 위로 여미는 오랑캐 옷의 간편함만 못하고

예를 다해 겸손을 표시하는 동작은

무릎을 꿇고 손을 들어 절하는 진솔함만 못하고

쓸데없는 문장들은

말을 타고 활 쏘는 것보다 실용적이지 못하고

따뜻한 옷에 익힌 음식은 몸과 뼈를 연약하게 만들어서

험한 장막에 살며 우유를 먹어 힘줄과 혈맥을 강인하게 만드는 것만 못했던 것이라고 했어.

모두 우유 먹고 키 크세요~.

그동안 오랑캐 풍습이라고 무시했던 것도

오랑캐하고 안 놀아~.

나름의 가치가 있다는 걸 보여주는 거야.

실용적이지.

편하지,

강인한 몸도 만들지.

더 나아가 실용을 통하긴 했지만

나 대신 얘기 좀…

라는 대담한 주장까지 했지.

명나라가 오랑캐에게 중원을 뺏긴 것은 이미 예견된 일이자 반드시 일어날 수밖에 없었던 것이다.

감히 명나라를 욕보이다니!!

공자는 《춘추》를 지어 화이의 구분을 엄격히 했는데,

선생님께서

나?

청나라까지 이어진 역사가 하늘의 뜻이라고 결론 내리신 것은 문제가 있는 게 아닙니까?

Tip

《춘추》는 공자가 지은 주나라의 역사책으로 화이(華夷)를 안과 밖으로 엄격하게 구별하고, 주나라 왕실로 상징되는 중화(中華)를 받들고 이적(夷狄)을 물리쳐야 한다는 역사관을 주창하였다.

이에 대한 실옹의 말을 들어볼까?

하늘이 낳고 땅이 키우는 것 가운데 모든 혈기가 있는 것은 다 사람이고,

무리 가운데 매우 뛰어나 한 지역을 다스리는 자는 모두 군왕이다.

문을 겹겹이 세우고 해자는 깊이 파며 국경을 굳게 지키는 것은 모두 나라다.

백성들이 의미를 이해하고 일정한 규칙에 따라 행하는 것은 모두 풍습이다.

양반이란 모름지기 갓을 써야지.

여자들은 외출 시 장옷을 뒤집어 써요.

집에선 이걸 쓰지.

하늘에서 보면 모두 한 가지인 것이다.

아이고~ 여기서 동포를 만나다니~.

반갑습니다. 조선 사람을 보니 눈물이 나네요.

각자 임금을 숭상하며,

각자 나라를 지키고,

각자 자기 풍속을 편안히 따르는 것은

우린 드넓은 초원에 사는 게 좋아!

마유주 한잔 하실라우?

중국이나 오랑캐나 다 마찬가지인 것이다.

그렇구나….

오랑캐가 중국을 침략하면 구(寇)라고 하고,

무식한 오랑캐들이 쳐들어 온다!

중국이 사방 오랑캐를 공격하면 적(賊)이라고 하지만,

야만인들에게 예의가 뭔지 가르쳐 주자!

두 글자 모두 도둑이란 뜻이고,

그…그게…

둘다 도둑 Ok?

寇 賊

결국 서로 해친다는 점에서 똑같은 의미이지 않은가?

공자는 주나라 사람이다.

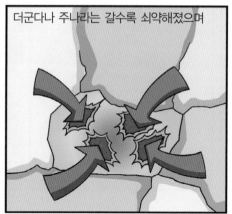

더군다나 주나라는 갈수록 쇠약해졌으며

이웃 나라로부터 끊임없는 공격을 받았다.

불쌍한 우리나라…

주나라는 예와 도덕을 숭상하는 나라이다….

그런 역사를 기록한 책이니 내외를 엄격히 구분한 것이 당연하지 않겠는가?

春秋

과연 그럴까…?

18세기 조선은 경제적으로나 사회적으로 극심한 혼란의 시기였어.

고을을 관리하는 사또가 백성의 땅을 빼앗아 가다니….

아니… 양반도 아닌 놈이 갓에 도포라니….

시끄러! 돈 없으면 찌그러져!

두고 보자! 양반놈들!

이렇게 살 바에는 도적이나 되자!

홍대용은 일찍부터 실학을 접하면서 이런 문제를 해결할 수 있는 방안을

관점의 변화, 세계관의 변화에서 찾았어.

처방전

1. 관점 변화
2. 세계관 변화

그는 특유의 비판적이고 논리적인 태도로 전통적 자연관의 비합리적인 껍데기를 벗기고 본래의 의미를 찾고자 했고,

풍수지리

의미

자연에 대한 지대한 관심과 실제의 경험을 중시하는 태도로 서양 과학의 지식과 객관적인 관점을 수용했어.

홍대용은 자연에 대한 객관적이고 과학적인 이해에 도달한 과학자이자

둥근 지구는 자전을 한다.

우주는 무한하고,

지구는 수많은 별 중 하나일 뿐이다.

중국 문화 중심주의를 벗어나 문화적 다양성을 존중하는 역사관을 정립한 사상가였지.

그 누구보다 개방적이고 창조적이었던 홍대용의 태도와 사상을 오늘날에도 살아 숨쉬게 하는 것은 우리의 몫이 아닐까?

"주자는 공자의 뒤를 이었다. 주자가 아니면 나는 누구에게 돌아가겠는가. 비록 그러하나 그에 의지하여 구차히 같은 척하는 것은 아첨이고 억지로 다른 의견을 세우는 것은 도적이다."

−홍대용의 《항전척독》중

북학론

성리학과 실학

▲ 조선 후기 대표적 성리학자인 송시열.

실학은 조선 후기에 대두된 새로운 학문 경향입니다. 조선 사대부들이 공부하던 성리학은 '자신을 수양하여 올바른 덕을 쌓는' 도덕을 강조하는 학문이었어요. 물론 사회를 유지하기 위해 꼭 필요한 덕목입니다. 하지만 기본 생존 욕구가 채워지지 않으면 '도둑질'이라는 죄책감보다 빵 하나를 먹고 싶은 '배고픔'이 이기는 법이지요. 이에 성리학자들 중에서 백성을 편안하게 하고 경제를 넉넉하게 하는 것을 우선 순위에 두고 토지제도, 과학기술, 상공업과 교육, 군사, 부역 등 생활에 관련된 다양한 학문을 연구한 사람들이 나타난 거예요. 이들이 바로 실학자입니다. 이 중 18세기 후반 노론 계열의 소수 지식인들이 중심이 되어 청나라의 문물을 배움으로써 우리 사회를 합리적으로 개선할 것을 주장한 학자들을 북학파라고 합니다.

북벌론과 북학파

청나라는 만주 지방에 살던 여진족이 중국 본토에 위치한 명나라를 멸망시키고 세운 나라입니다. 오랑캐로 무시해왔던 민족에게 땅을 빼앗긴 거예요. 조선 역시 병자호란 등을 겪으
며 청나라에 항복했고요. 그래서 사대부들 사이에서는
오랑캐의 문화를 업신여기고 어서 정벌해서 그들을
혼내주고 교화시켜야 한다는 풍조가 만연했어요.
이를 북벌론이라고 합니다. 이와 반대로 오히려 '청
의 선진 문물을 배워서 우리의 그릇된 풍속을 고치고 백성의 생활을 윤택하게 한 후에
북벌을 주장해도 늦지 않을 것'이라고 주장하는 것을 북학론이라고 하지요. 홍대용
(1731~1783), 박지원(1737~1805), 박제가(1750~1805), 홍양호(1724~1802) 등이 대
표적인 인물입니다.

홍대용은 서양 과학의 인식으로 실학사상의 기반을 확보하였고, 박지원은 풍자 문학
으로 당시 사회체계의 위선을 고발하였습니다. 박제가에 이르러 교육의 상업적 중요성
과 생산 기술 강조라는 북학 사상이 수립됩니다. 이들은 모두 북경으로 가는 사신 행렬
에 참여하여 청나라의 우수한 문물을 직접 목격하고 자세히 관찰한 여행기를 남겼다는
공통점이 있답니다. 그 중 무엇을 우리나라에 도입해야 하는지, 그 방법은 무엇인지에
대해서도 제시하고 있지요.

박지원 "이용한 후에 후생할 수 있고, 후생한 이후에
덕(德)을 바르게 할 수 있다."며, 성리학에서 중시하는
도덕적 자기수양보다 현실적 이용후생을 우선해야 한다
고 강조했습니다. 북학의 대상은 밭갈기, 누에치기부터
공업, 상업에 이르기까지 이용후생할 수 있는 모든 학문
이었어요. 그 중에서 특히 수레와 벽돌의 도입이 시급하

▲ 박지원

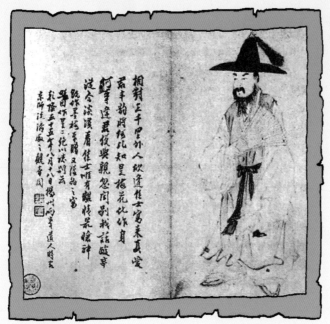

다고 보았습니다. 박제가는 수레를 일컬어 "뭍에서 다니는 배요, 움직일 수 있는 집이다. 나라의 큰 쓰임이 수레보다 더한 것이 없다."고 했어요.

북학론자들은 상공업의 발전을 많이 얘기했기 때문에 '중상학파'라고 부르기도 합니다. 물건을 만드는 장인과 장사를 하는 상인의

▲ 박제가는 《북학의》에서 청나라의 앞선 과학문물을 도입할 것을 주장하였다.

지위를 향상시키고, 수레와 배 등 교통수단의 혁신을 통해 상업을 활성화시켜야 한다고 했어요. '재물은 우물과 같아서 쓸수록 가득 차고 이용하지 않으면 말라버린다.'고 비유하며 물자와 재화의 유통이 활발해지는 방안의 하나로 소비가 생산을 촉진한다고 주장했답니다. 사대부가 가난해도 체면 때문에 노동을 하지 않고, 노동에 종사하면 주변까지 부끄러워하는 풍토를 없애, 양반이 적극적으로 상업활동을 하도록 권했습니다. 박지원의 《허생전》을 보면 양반인 허생이 장사에 나서 전국의 물가를 좌지우지하는 모습이 나오지요.

수레를 사용하여 전국의 물건을 원활하게 소통시키는 일, 중요한 과학기술을 적극적으로 수용하는 방도로 서양의 과학기술자를 초빙하는 일, 선박을 이용해서 먼 나라와 통상하

는 일이야말로 부국강병을 이루는 방법이라는 겁니다.

많은 백성들이 농업에 종사하고 있으니 농업도 당연히 중요한 일이었습니다. 홍대용은 농업을 매우 중시해서 토지의 균등 분배, 전세 경감, 조정 행정부서 조직개편 등 농민층 생활 안정과 개선에 대한 여러 개혁안을 내놓았습니다. 박제가는 제도보다 퇴비법, 관개 수리 시설, 농기구 개량 등 기술적인 측면의 향상을 제안했지요.

북학론자들은 홍대용이 마련한 상대적 자기중심성으로부터 주체성을 확립하고, 화이의 위계질서를 부정하며, 객관적인 관점으로 청나라의 문물의 우수성을 알아차렸습니다. 또한 사농공상이라는 구분을 고정된 신분이 아니라 재능에 따라 변할 수 있는 직분으로 이해하고 신분제를 뛰어넘는, 능력에 따른 등용을 주장했어요. 이들의 노력은 개화사상으로 이어져 조선 근대화의 기틀이 되었답니다.

38

홍대용 의산문답

신현정 글 | 정윤채 그림

01 지원설, 자전설에서부터 무한우주론까지 담긴 조선 최초의 과학 철학책《의산문답》을 쓴 사람은 누구일까요?
① 장영실　② 홍대용　③ 정약용　④ 김정호　⑤ 박지원

02 《의산문답》이 쓰인 17~18세기 조선은 임진왜란과 병자호란을 겪으며 백성들의 삶이 궁핍해진 때였습니다. 하지만 지나친 예와 도덕만 강조하며 경전 해석에 몰두해 있는 기존의 성리학은 이러한 백성들의 곤궁한 현실을 해결하지 못했지요. 그래서 이러한 성리학의 한계를 비판하고 현실과 직결되는 농업, 상업, 기술에 관련된 학문을 연구한 학자들이 등장했는데요. 이들은 누구일까요?

_____

03 홍대용은 29세 때 호남 지방에 머물렀는데 이곳에서 나경적 선생을 만납니다. 뛰어난 과학자였던 나경적과 홍대용은 서양의 여러 문물과 다양한 기계를 연구하였습니다. 이때 두 사람은 천체의 운행과 그 위치를 측정하던 천문관측기인 '이것'을 3년 만에 완성합니다. 이것의 이름은 무엇일까요?
① 천운행　② 측우기　③ 혼천의　④ 거중기　⑤ 마분기

04 홍대용이 주장한 '지원설(地圓設)'과 관련한 설명으로 옳지 않은 것을 고르세요.

① 지원설은 땅은 둥글다는 주장으로, 이미 17세기 후반부터 조선의 일부 지식인을 중심으로 조금씩 교양으로 자리 잡고 있었다.

② 지원설은 또 다른 말로 '지방설'이라고도 한다.

③ 지원설에 의하면 땅이 둥근 형태이므로 어느 한 군데를 중심이라 할 수 없기 때문에, 기존의 중국 중심의 세계관에서 벗어날 수 있다.

④ 홍대용이 지원설의 근거로 든 것은 지구 그림자가 달을 가리는 월식 때, 달이 가려진 모양이 둥글다는 점이다.

⑤ 또 다른 근거로는 높은 산에 올라갔을 때 중국의 태산이나 바다 건너 다른 나라의 모습도 볼 수 있어야 하는데 보이지 않는다는 것을 들었다.

05 홍대용이 말한 무한우주론을 간단히 설명해 보세요.

_____

_____

09 홍대용은 지구가 지구의 이동하여 지구의 자전을 증명합니다 : 세탁 등을 때문에 지

06 홍대용은 세계를 4가지로 나누고, 별들은 모두 이 네 가지 세계의 성질을 나누어 지닌다고 하였습니다. 4가지 세계가 아닌 것은 무엇일까요?

① 밝은 세계　　② 어두운 세계　　③ 푸른 세계
④ 따뜻한 세계　　⑤ 차가운 세계

07 홍대용이 아래와 같이 설명한 행성은 어디일까요?

이 행성은 다른 행성의 찌꺼기다. 그 바탕은 얼음과 흙이라 성질이 차고 색이 어둡고 탁해서 빛을 받아도 적게 빛이 난다. 그러니 이 별에서 태어난 것은 난잡하고 성질이 거칠며, 어리석고 기운은 둔하다.

① 태양　② 달　③ 수성　④ 토성　⑤ 지구

08 동양에서는 동서남북을 지키는 상상의 동물과 그 동물의 몸을 이루는 7개의 별을 중심으로 그 주위의 별들을 묶은 28개의 별자리가 있습니다. 그렇다면 이 28개의 별자리를 바탕으로 중국 땅을 나누어 하나씩 대응한 이론을 무엇이라고 할까요?

① 분야설　② 분별설　③ 28수설　④ 천체설　⑤ 중국별설

정답

01 ② / 02 성호사설 / 03 ③
04 ② : 지전설(地轉說) 등 지구가 스스로 도는 이론입니다.
05 ① 하늘에 떠서 있고 별들 역시 만유인력과 비슷한 이론입니다. : 모든 물체는 그 물체의 중심으로 우주공간에
세상이 있을 거라 봤어요.
06 ③ / 07 ⑤ / 08 ①

09 지구의 세차 운동이란 무엇인가요?

_____

_____

10 홍대용은 사람이 죽으면 관 속에 나무판을 끼우고 봉문을 만들어
매장하는 장례법에 대해 어떻게 생각했나요?

_____

_____

_____

_____

통합교과학습의 기본은 세계사의 이해,
세계대역사 50사건

제대로 알차게 만든 교양 세계사 만화!
우리 집 최고의 종합 인문 교양서!

★서양사와 동양사를 21세기의 균형적 시각에서 다룬 최초의 역사 만화
★세계사의 핵심사건과 대표적 인물을 함께 소개해 세계사의 맥락을 짚어 주는 책
★시시각각 이슈가 되는 세계사 정보를 지식이 되게 하는 재미있는 대중 교양서

김창회 외 글 | 진선규 외 그림 | 232쪽 내외